令和6年11月改訂

消費税

課否判定 ＋ 軽減税率判定

ハンドブック

杉浦 孝幸 [編]

公益財団法人 納税協会連合会

は　し　が　き

　平成元年に導入された我が国の消費税は、消費に広く公平な負担を求めるという観点から、国内におけるほとんど全ての商品の販売やサービスの提供等及び保税地域から引き取られる外国貨物を課税対象とし、取引の各段階ごとに課税する間接税です。

　また、消費税は申告納税方式を採用しており、納税者の方が自ら様々な取引について課税されるか否か課否判定を正しく行う必要があります。

　令和5年10月1日から複数税率に対応した仕入税額控除の方式として適格請求書等保存方式（インボイス制度）が開始されましたが、近年の消費税法の改正内容について見ていきますと、令和5年には、適格請求書発行事業者となる小規模事業者に対する納税額に係る負担軽減措置が講じられたほか、令和6年には、国外事業者等における事業者免税点制度の特例等の見直しなどが行われております。

　さらに、令和7年4月1日から国外事業者がデジタルプラットフォームを介して国内向けに行うデジタルサービスについて、国外事業者の取引高が50億円超のプラットフォーム事業者を対象に、消費税の納税義務を課す制度が導入されます。

　本書では、事業者の方をはじめ、消費税の実務に携わっておられる方々が一目で課否判定が行えるよう、損益計算書、貸借対照表の勘定科目ごとに各取引の判定事例を示して解説するとともに、その判定結果を分かりやすく「○」「×」式で解説しています。

　また、様々な取引を通した標準税率か軽減税率かの判定や適格請求書等保存方式を含めた仕入税額控除の要件を分かりやすく解説しています。

　本書が、消費税を理解する上での一助となり、皆様方のお役に立てれば幸いです。

　なお、本書は、大阪国税局課税第二部消費税課に勤務する者が、休日を利用して執筆したものであり、本文中の意見にわたる部分につきましては、執筆者の個人的見解であることをお断りしておきます。

　令和6年10月

編　者

消費税課否判定・軽減税率判定
ハンドブック

CONTENTS

第 1 編

第1章　消費税の取引区分 ································ 1

1　消費税が課される取引等 ································ 3
2　消費税の取引区分 ································ 4
3　国境を越えた役務の提供に係る消費税の課税関係 ··· 8

第2章　消費税の課否判定表 ································ 13

1　損益計算書科目

売上・収益編

【国内取引】

課税資産の譲渡 ································ 15

課税資産の貸付け ································ 15

役務の提供 ································ 15

作家等が行う広告宣伝 ································ 16

作家等が行うテレビ出演 ································ 16

非課税資産の譲渡等 ································ 16

外国法人に対する課税資産の譲渡 ································ 16

非居住者に対する課税資産の譲渡 ································ 16

外国公館等に対する課税資産の譲渡 ································ 17

サラリーマンが行う資産の譲渡等 ································ 17

個人事業者の家事用資産の譲渡 ································ 18

個人事業者の事業用資産の譲渡 ································ 18

個人事業者の家事消費 ································ 18

無償譲渡 ································ 18

代物弁済 ································ 18

担保権が実行された担保物件 ································ 19

負担付き贈与 ································ 19

法人の役員に対する低額譲渡 ································ 19

(1)

消費税課否判定・軽減税率判定 ハンドブック

法人の従業員に対する低額譲渡 …………………………………………… 20

法人の役員に対する贈与 ……………………………………………………… 20

法人の従業員に対する贈与 …………………………………………………… 20

法人の役員に対する低額な住宅の貸付け …………………………………… 20

法人の役員に対する住宅の無償貸付け ……………………………………… 20

共同企業体の利益の分配 ……………………………………………………… 21

現物出資（建物） ……………………………………………………………… 21

現物出資（土地） ……………………………………………………………… 21

交換（建物） …………………………………………………………………… 21

交換（土地と建物） …………………………………………………………… 21

換地処分 ………………………………………………………………………… 21

強制換価 ………………………………………………………………………… 22

保証債務 ………………………………………………………………………… 22

先物取引 ………………………………………………………………………… 22

未経過固定資産税等 …………………………………………………………… 22

スタンプ券の発行 ……………………………………………………………… 23

従業員に対する食事の提供 …………………………………………………… 23

団体保険等の集金事務手数料 ………………………………………………… 24

同業者団体等の発行する会報等 ……………………………………………… 24

クレジットカードの年会費 …………………………………………………… 25

宗教法人の事業収入等 ………………………………………………………… 25

宗教法人が受け取る助成金 …………………………………………………… 27

駐車違反車両の移動、保管 …………………………………………………… 27

【国外取引】

国外取引 ………………………………………………………………………… 27

外国にある資産の譲渡 ………………………………………………………… 27

国外での請負工事 ……………………………………………………………… 28

船荷証券の譲渡 ………………………………………………………………… 28

国外取引に係る割賦手数料等 ………………………………………………… 28

海外プラント工事の下請 ……………………………………………………… 29

国内外での設計作業 …………………………………………………………… 29

CONTENTS

国外での機械設備の据付け ………………………………………… 29

国外イベントの企画・立案 ………………………………………… 30

国外での広告 ……………………………………………………… 30

国外での広告（企画・立案等を含む）…………………………… 30

外国法人の発行する株式の譲渡 …………………………………… 30

外国法人の出資持分の譲渡 ………………………………………… 30

国内事業者が国外事業者に対して行う「電気通信利用役務の提供」………… 31

【輸出取引】

輸出として行われる資産の譲渡等 ………………………………… 32

輸出用の商品の国内での販売 ……………………………………… 32

輸出用の商品を製造するための下請加工 ………………………… 32

輸出業者に対する資産の譲渡等 …………………………………… 32

保税工場で製造した製品の譲渡 …………………………………… 32

保税地域で加工した製品の輸出 …………………………………… 33

外国貨物である部品の内国貨物への取付け ……………………… 33

外国貨物の譲渡等 …………………………………………………… 33

保税地域で購入した外国貨物の譲渡 ……………………………… 33

国際輸送 ……………………………………………………………… 33

国外間の輸送 ………………………………………………………… 33

国際航空運賃 ………………………………………………………… 34

外航船舶等の譲渡等 ………………………………………………… 34

国際輸送用コンテナーの譲渡等 …………………………………… 34

外航船舶等の入港料等 ……………………………………………… 34

外国の漁船の岸壁使用料 …………………………………………… 34

国際線空港施設の提供 ……………………………………………… 35

外航船舶等の外貿埠頭貸付料等 …………………………………… 35

外国貨物の荷役等 …………………………………………………… 35

保税地域間の貨物輸送 ……………………………………………… 35

国際郵便等 …………………………………………………………… 35

非居住者に対する無体財産権の譲渡等 …………………………… 35

外国の出版社に設定する出版権の権利料 ………………………… 36

(3)

ノウハウの提供 ……………………………………………… 36

非居住者（国内に支店等を有するもの）に対する役務の提供 …… 37

非居住者に対する役務の提供 ……………………………… 37

外国公館等に対する役務の提供 …………………………… 38

非居住者から収受する有価証券の保管料等 …………… 39

外国人旅行者の宿泊代金等 ………………………………… 39

外国企業に対する役務の提供 ……………………………… 39

保税地域での加工賃 ………………………………………… 39

国内市場の情報提供 ………………………………………… 40

海外市場の情報提供 ………………………………………… 40

ノウハウの譲渡 ……………………………………………… 40

非居住者が依頼する国内の市場調査 …………………… 40

弁護士の非居住者に対する法律相談 …………………… 40

外国企業からの広告依頼 …………………………………… 41

出国に際して携帯する物品 ………………………………… 41

【土地等の譲渡】

土地の定着物 ………………………………………………… 41

土地の上に存する権利 ……………………………………… 41

鉱業権、土石採取権、温泉利用権等 …………………… 41

土地の賃貸借の形態で行われる土石等の採取 ……… 42

土地建物等の一括譲渡 ……………………………………… 42

掘りこみガレージ …………………………………………… 42

土地仲介手数料 ……………………………………………… 42

【土地等の貸付け】

土地の短期貸付け …………………………………………… 42

土地の短期貸付け（期間の変更）………………………… 42

土地の短期貸付け（曜日限定の場合）………………… 43

土地付建物の貸付け ………………………………………… 43

施設の貸付け ………………………………………………… 43

駐車場の貸付け ……………………………………………… 43

更地の貸付け ………………………………………………… 43

CONTENTS

電柱使用料 ･･････････････････････････････ 43

墓地永代使用料 ･･････････････････････････ 44

借地権の更新料等 ････････････････････････ 44

【有価証券等及び支払手段の譲渡】

有価証券等の譲渡 ････････････････････････ 44

船荷証券、貨物引換証、倉庫証券等の譲渡 ････ 44

償還日前の債権譲渡 ･･････････････････････ 44

株券の発行 ･･････････････････････････････ 44

社債償還益 ･･････････････････････････････ 45

信用取引による有価証券の譲渡 ････････････ 45

暗号資産の譲渡 ･･････････････････････････ 45

預貯金の譲渡 ････････････････････････････ 45

受取手形の譲渡 ･･････････････････････････ 45

売掛金の譲渡 ････････････････････････････ 45

ファクタリング取引の手数料等 ････････････ 45

手形の割引料 ････････････････････････････ 46

手形の取立依頼に基づく手数料等 ･･････････ 46

収集品である硬貨の販売 ･･････････････････ 46

収集品である外国紙幣の販売 ･･････････････ 46

電子マネー（サーバー型前払式支払手段）の譲渡 ･･ 46

【利子を対価とする貸付金等】

国債、地方債、預貯金等の利子 ････････････ 46

学校債 ･･････････････････････････････････ 47

貸付金の利子 ････････････････････････････ 47

合同運用信託、投資信託等の収益の分配金 ･･ 47

保険料 ･･････････････････････････････････ 47

出資者の持分の譲渡 ･･････････････････････ 47

【郵便切手類の譲渡】

郵便切手類の販売 ････････････････････････ 47

郵便切手を冊子に収めたもの等の販売 ･･････ 48

印紙の販売 ･･････････････････････････････ 48

証紙の販売 ･･･ 48

図柄付郵便葉書の販売 ･････････････････････････････ 49

図柄付郵便葉書の販売（葉書の持込みによるもの）･････ 49

【物品切手等の譲渡】

商品券、ビール券等物品切手等の発行 ･･･････････････ 49

商品券、ビール券等物品切手等の販売 ･･･････････････ 49

物品切手等の受託販売代金 ･････････････････････････ 50

物品切手等の受託販売手数料 ･･････････････････････ 50

株主優待券、社員割引券等の譲渡 ･･････････････････ 50

プリペイドカードの譲渡 ･･･････････････････････････ 50

プレミア付きプリペイドカード ･････････････････････ 50

プリペイドカードの印刷費 ･････････････････････････ 50

商品券の引換え ･･･････････････････････････････････ 50

ビール券の引換え ･････････････････････････････････ 51

【医療の給付等】

非課税となる医療等 ･･･････････････････････････････ 51

差額ベッド代 ･････････････････････････････････････ 51

自由診療 ･･･ 51

診断書等の作成料 ･････････････････････････････････ 51

予防接種又は新型インフルエンザ予防接種、健康診断 ･･･ 51

資格証明書により受ける診療 ･･････････････････････ 51

健康保険法に基づく一部負担金 ････････････････････ 51

非居住者に対する医療 ････････････････････････････ 52

交通事故の被害者に対する療養費 ･･････････････････ 52

医薬品等の販売 ･･･････････････････････････････････ 52

薬局における医薬品の販売 ･････････････････････････ 52

保健医療の一環として行われる酸素の販売 ･････････ 53

【社会福祉事業等】

社会福祉事業（介護サービス）･･････････････････････ 53

特別養護老人ホームの経営 ･････････････････････････ 53

授産施設における授産活動 ･････････････････････････ 53

CONTENTS

社会福祉事業に類する事業 ······················· 53

児童居宅介護事業の経営 ························· 53

児童福祉法に基づかない保育所 ··················· 53

社会福祉事業から除かれる保育所 ················· 54

産後ケア事業 ····································· 54

【助産関係】

妊娠から出産後の検査 ··························· 54

人工妊娠中絶費用 ································· 54

助産に係る差額ベッド料（妊娠中のもの） ········· 54

助産に係る差額ベッド料（出産後のもの） ········· 54

【埋葬・火葬関係】

埋葬、火葬 ······································· 55

祭壇費用等 ······································· 55

火葬料等を含む葬儀費用 ························· 55

埋蔵料、収蔵料等 ································· 55

火葬許可手数料等 ································· 55

お布施、戒名料等 ································· 55

【身体障害者用物品】

身体障害者用物品の譲渡 ························· 56

身体障害者に販売するオートマチック車 ··········· 56

【学校教育関係】

学校教育法に規定する学校における役務の提供 ····· 56

入学金等 ··· 56

入学寄附金 ······································· 57

予備校等が受け取る授業料等 ····················· 57

そろばん塾等が受け取る授業料等 ················· 57

公開模試の検定料 ································· 57

学校教育関係給食費及びスクールバス代 ··········· 57

機器使用料 ······································· 58

【教科用図書】

学校が指定した問題集等 ························· 58

(7)

消費税課否判定・軽減税率判定 ハンドブック

学習塾に販売する教科書 ……………………………………………………………… 58

教科書販売に係る取次手数料等 …………………………………………………… 58

【住宅の貸付け】

居住用家屋の貸付け ……………………………………………………………………… 58

居住用家屋の貸付け（事務所として使用するもの）……………………………… 59

居住用家屋の貸付けに係る敷金等 ………………………………………………… 59

店舗兼用住宅の貸付け ………………………………………………………………… 59

住宅付属設備の貸付け ………………………………………………………………… 59

住宅付属設備の貸付け（施設利用料相当額）……………………………………… 60

まかない付居住用住宅の貸付け …………………………………………………… 60

社宅の転貸 ………………………………………………………………………………… 60

住宅の短期貸付け ……………………………………………………………………… 60

住宅の短期貸付け（期間の変更）…………………………………………………… 60

旅館業に係る施設の貸付け ………………………………………………………… 60

原状回復費用 ……………………………………………………………………………… 60

共益費 ……………………………………………………………………………………… 60

名義書換え承諾料 ……………………………………………………………………… 61

建物の無償貸付け ……………………………………………………………………… 61

【受取利息】

預貯金の利子 ……………………………………………………………………………… 61

貸付金の利子 ……………………………………………………………………………… 61

国債等の利子 ……………………………………………………………………………… 61

公社債等の経過利子 …………………………………………………………………… 61

売掛債権に係る金利 …………………………………………………………………… 62

前渡金の利息 ……………………………………………………………………………… 62

金利スワップ ……………………………………………………………………………… 63

アセットスワップ ………………………………………………………………………… 63

通貨スワップ ……………………………………………………………………………… 63

スワップフィー …………………………………………………………………………… 63

本支店間の利子 …………………………………………………………………………… 63

国外取引に係る延払金利 …………………………………………………………… 63

CONTENTS

【受取配当金】

受取配当金 ･･ 64

合同運用信託等の収益分配金 ･･････････････････ 64

事業分量配当金 ･････････････････････････････････ 64

匿名組合からの利益配当金 ･･････････････････････ 64

【仕入割引】

仕入割引 ･･ 64

【販売奨励金】

販売奨励金 ･･･････････････････････････････････････ 65

【為替差益】

為替差益 ･･ 65

【債権取立益】

貸倒債権取立益 ･････････････････････････････････ 65

【引当金戻入益】

貸倒引当金戻入益 ･･････････････････････････････ 65

【受取手数料】

保険料の集金手数料 ･･････････････････････････････ 65

名義貸料 ･･ 65

自動販売機の設置手数料 ･･････････････････････････ 66

キャッシュディスペンサーの設置・管理等の手数料 ･･････････ 66

【雑収入】

長期滞留債務（雑益計上） ･･････････････････････ 66

容器保証金 ･･････････････････････････････････････ 67

長期停滞料等 ････････････････････････････････････ 67

無事故達成奨励金 ･･････････････････････････････ 68

受贈益 ･･ 68

現金過剰額 ･･････････････････････････････････････ 68

暗号資産の貸付けにおける利用料 ･･･････････････ 68

雑収入 ･･ 68

【固定資産売却益】

固定資産売却益 ･････････････････････････････････ 68

【受贈益】

受贈益 ……………………………………………………………………… 69

【補助金等】

補助金等 …………………………………………………………………… 69

【対価補償金等】

対価補償金 ………………………………………………………………… 69

移転補償金 ………………………………………………………………… 70

移転補償金（対価補償金として扱われるもの）………………………… 70

収益補償金 ………………………………………………………………… 70

経費補償金 ………………………………………………………………… 71

【解約損害金等】

早期完済割引料 …………………………………………………………… 71

規定損害金（解約損害金）………………………………………………… 71

遅延損害金 ………………………………………………………………… 72

キャンセル料 ……………………………………………………………… 72

【示談金】

交通事故の示談金 ………………………………………………………… 72

【債務免除益】

債務免除益 ………………………………………………………………… 72

【受取保険金】

受取保険金 ………………………………………………………………… 72

仕入・費用編

【国内取引】

課税資産の譲受け ………………………………………………………… 73

課税資産の借受け ………………………………………………………… 73

役務の提供を受けた場合 ………………………………………………… 73

非課税資産の譲受け等 …………………………………………………… 73

課税資産と非課税資産の仕入れ ………………………………………… 73

国外での仕入れ …………………………………………………………… 74

外国法人からの仕入れ …………………………………………………… 74

免税事業者からの仕入れ ………………………………………………… 74

消費者からの仕入れ ……………………………………………………………………… 74

空きびん等の購入 ………………………………………………………………………… 75

国外取引（不課税売上げ）に対応する仕入れ ……………………………………… 75

輸出取引（免税売上げ）に対応する仕入れ ………………………………………… 75

非課税取引（非課税売上げ）に対応する仕入れ …………………………………… 75

土地の造成費（貸ビル建設用の土地） ……………………………………………… 75

土地の造成費（分譲マンション建設用の土地） …………………………………… 75

土地の造成費（住宅用賃貸マンション建設用の土地） ………………………… 76

土地の造成費（販売用の土地） ……………………………………………………… 76

個人事業者の生活用資産の購入 ……………………………………………………… 76

個人事業者が自家消費した棚卸資産等の仕入れ ………………………………… 76

無償での譲受け …………………………………………………………………………… 76

仕入商品を廃棄等した場合 …………………………………………………………… 77

仕入れに係る付随費用 ………………………………………………………………… 77

外国貨物の通関手続費用 ……………………………………………………………… 77

課税貨物の保税地域からの引取り ………………………………………………… 77

仕入返品 …………………………………………………………………………………… 78

仕入割戻し ………………………………………………………………………………… 78

仕入割引 …………………………………………………………………………………… 78

棚卸減耗損等 ……………………………………………………………………………… 78

消費者に対するキャッシュバック ………………………………………………… 78

国内事業者が国外事業者から受けた「事業者向け電気通信利用役務の提供」……… 78

国内事業者が国外事業者から受けた「消費者向け電気通信利用役務の提供」……… 79

国外事業者から受けた「特定役務の提供」等 …………………………………… 80

国外事業者が恒久的施設で受ける「事業者向け電気通信利用役務の提供」……… 81

【国外取引】

国外の展示会の会場設営 ……………………………………………………………… 81

ツアーコンダクターの人材派遣料 ………………………………………………… 82

国外の美術館から絵画の借受け …………………………………………………… 82

登録を要する国外からの技術導入に伴う技術使用料 ………………………… 82

国外からの技術導入に伴う技術指導料 ………………………………………… 83

国外での建設工事の資材調達費 ……………………………………………… 83

外国証券の売買に係る委託手数料 ………………………………………… 83

国内事業者が国外事業所等で受ける「事業者向け電気通信利用役務の提供」……… 84

【製造原価】

原材料の仕入れ ……………………………………………………………… 84

外注費 …………………………………………………………………………… 84

原材料の有償支給 …………………………………………………………… 84

国外への外注費 ……………………………………………………………… 84

未成工事支出金 ……………………………………………………………… 84

出来高払い …………………………………………………………………… 84

請負に係る中間金の支払 …………………………………………………… 85

出来高検収書 ………………………………………………………………… 85

【人件費】

役員報酬 ……………………………………………………………………… 85

役員賞与等 …………………………………………………………………… 85

役員退職金等 ………………………………………………………………… 85

給与 …………………………………………………………………………… 85

賞与 …………………………………………………………………………… 85

退職金 ………………………………………………………………………… 86

早期退職加算金等 …………………………………………………………… 86

給与負担金（親会社に支払うもの） ……………………………………… 86

給与負担金（子会社に支払うもの） ……………………………………… 86

経営指導料 …………………………………………………………………… 86

技術指導料 …………………………………………………………………… 86

派遣料 ………………………………………………………………………… 86

通勤手当 ……………………………………………………………………… 87

通勤手当（現物支給） ……………………………………………………… 87

通勤手当（自転車通勤者） ………………………………………………… 87

通勤手当（ガソリン代） …………………………………………………… 87

扶養手当等 …………………………………………………………………… 87

賞与（棚卸資産の現物支給） ……………………………………………… 87

CONTENTS

賞与（私的資産の現物支給） 87

報償金、表彰金、賞金等 87

【報酬・料金等】

外交員報酬等 88

外交員に支給する旅費 89

弁護士報酬等 89

派遣医師に係る委託料 89

産業医報酬 89

国等に納付すべき登録免許税等 89

弁護士等に支払う実費相当額 89

【福利厚生費】

社会保険料 89

慶弔金 90

災害見舞金 90

祝品等の購入代金 90

健康診断費用 90

権利金（社宅借上げの際のもの） 90

家賃の一部負担 90

利子補給金 90

社宅購入費等 91

慰安旅行の補助金 91

忘年会等の補助金 91

レジャークラブ等の年会費 92

従業員団体に対する助成金 92

社員持株会等に対する奨励金等 92

社員共済会等に対する補助金等 93

永年勤続者に支給する記念品の購入費用等 93

催し物の入場券の購入費用 93

直営食堂の維持管理費用 93

業務委託費 94

外部食堂へ支払う食事代金 94

深夜勤務者に支給する弁当の購入費用 ································ 94

　　深夜勤務者に支給する食事代相当額 ······························ 94

　　福利厚生施設の維持管理費用 ···································· 94

　　福利厚生施設の管理人給与 ······································ 94

【保険料等】

　　生命保険料等 ·· 94

　　生命保険料（給与に該当するもの） ······························ 95

　　生命共済掛金等 ·· 95

　　共済掛金 ·· 95

　　福利厚生施設の火災保険料 ······································ 95

　　特定損失負担金等 ·· 95

　　輸入貨物の保険料 ·· 95

【販売促進費等】

　　販売奨励金等 ·· 95

　　販売促進費（観劇費用） ·· 96

　　販売促進費（観劇券の購入費用） ································ 96

　　建設協力金 ·· 96

　　スタンプ券の印刷費 ·· 97

　　スタンプ券引換え用景品購入代金 ································ 97

　　プリペイドカード購入費用 ······································ 97

　　情報提供料 ·· 97

　　見本等の購入費用 ·· 97

　　サービス品の購入費用 ·· 97

【旅費・交通費】

　　出張旅費等 ·· 98

　　自家用車の借上料 ·· 98

　　転勤に伴う支度金 ·· 98

　　海外出張旅費等 ·· 98

　　ホームリーブ旅費等（国内旅行部分） ···························· 99

　　ホームリーブ旅費等（国内旅行以外の部分） ······················ 99

　　単身赴任者の帰宅費用 ·· 99

CONTENTS

海外からの赴任支度金 ･･････････････････････････････ 99

航海日当（内航船）･････････････････････････････････ 99

航海日当（外航船等）････････････････････････････ 100

派遣社員の旅費等 ･･････････････････････････････････ 100

顧客を招待する際の旅費等 ････････････････････････ 100

採用予定者等に支給する旅費等 ･･････････････････ 100

【通信費】

電信・電話料等 ････････････････････････････････････ 100

郵便切手類購入代金（日本郵便㈱等）･･･････････ 100

郵便切手類購入代金（チケットショップ等）････ 100

国際電信・電話料 ･････････････････････････････････ 100

【水道光熱費】

電気、水道、ガス代 ･･････････････････････････････ 101

電気、水道、ガス代（家事関連費部分）･･･････････ 101

【寄附金】

寄附金（金銭）････････････････････････････････････ 101

寄附金（棚卸資産）････････････････････････････････ 101

寄附金名目の金銭の支払 ･･････････････････････････ 101

外国への寄附 ･･････････････････････････････････････ 101

【地代家賃】

地代 ･･ 102

地代（短期）･･････････････････････････････････････ 102

地代（駐車場用地）････････････････････････････････ 102

駐車場代 ･･ 102

土地の賃借料 ･･････････････････････････････････････ 102

土地付建物の賃借料 ･･････････････････････････････ 102

店舗の賃借料 ･･････････････････････････････････････ 103

社宅用マンションの賃借料 ････････････････････････ 103

損害賠償金（賃借料相当分）･･････････････････････ 103

【賃借料】

賃借料（事業用資産）･････････････････････････････ 103

賃借料（役員等に支払うもの） ……………………………………………… 104

所有権移転外ファイナンス・リース取引に係るリース料 ……………… 104

【償却費】

減価償却費 ……………………………………………………………………… 105

繰延資産の償却費 ……………………………………………………………… 105

【租税公課】

租税公課（法人税等） ………………………………………………………… 105

租税公課（軽油引取税） ……………………………………………………… 105

租税公課（不動産取得税等） ………………………………………………… 106

収入印紙代（日本郵便㈱等での購入） ……………………………………… 106

収入印紙代（チケットショップ等での購入） ……………………………… 106

証紙代（地方公共団体等での購入） ………………………………………… 106

証紙代（チケットショップ等での購入） …………………………………… 106

【会費・組合費・分担金等】

会費等 …………………………………………………………………………… 106

購読料等の名目で支払う会報等の負担金 …………………………………… 107

負担金（同業者団体等の構成員が負担するもの） ………………………… 107

特別分担金 ……………………………………………………………………… 107

各種セミナーの会費 …………………………………………………………… 108

情報センター等の入会金等 …………………………………………………… 108

負担金（百貨店の取引先が負担するもの） ………………………………… 108

分担金（展示会費用） ………………………………………………………… 108

分担金（即売会開催費用） …………………………………………………… 108

分担金（共同研究費用） ……………………………………………………… 108

容器包装リサイクル法に基づき特定事業者が指定法人に支払う拠出委託料 ……… 108

【信託報酬】

信託報酬（合同運用信託等） ………………………………………………… 109

信託報酬（公社債等運用投資信託） ………………………………………… 109

信託報酬（特定金銭信託等） ………………………………………………… 110

中途解約手数料 ………………………………………………………………… 110

CONTENTS

【会議・研修費等】

会場使用料 ･･ 110

茶菓子代等 ･･ 110

株主総会費 ･･ 110

講演料等 ･･ 110

講演料（実費相当額）････････････････････････････････ 110

教材費 ･･ 110

外部委託研修費 ･････････････････････････････････････ 111

社員通信教育費 ･････････････････････････････････････ 111

従業員に対して支給する学資金 ･･･････････････････････ 111

大学等で行う社員研修の授業料等 ･････････････････････ 111

【手数料】

販売委託手数料 ･････････････････････････････････････ 112

代理店手数料 ･･･････････････････････････････････････ 112

代理店手数料（保険代理店）･･････････････････････････ 112

業務代行手数料 ･････････････････････････････････････ 112

土地仲介手数料 ･････････････････････････････････････ 113

土地付建物仲介手数料 ･･･････････････････････････････ 113

株式の委託売買手数料等 ･････････････････････････････ 114

割賦販売手数料等 ･･･････････････････････････････････ 114

クレジット手数料 ･･･････････････････････････････････ 114

加盟店手数料 ･･･････････････････････････････････････ 114

経営指導料 ･･･ 115

フランチャイズ手数料・ロイヤリティ ･････････････････ 115

金銭消費貸借契約締結の手数料 ･･･････････････････････ 115

国内送金為替手数料 ･････････････････････････････････ 115

外国送金為替手数料 ･････････････････････････････････ 115

外国為替業務に係る役務の提供 ･･･････････････････････ 115

為替予約の延長手数料 ･･･････････････････････････････ 116

居住者外貨預金に係る手数料等 ･･･････････････････････ 116

非居住者円預金に係る手数料 ･････････････････････････ 116

スワップ手数料 …………………………………………………………………… 116

スワップ取引のあっせん手数料 ………………………………………………… 117

スワップ取引の乗換手数料 ……………………………………………………… 117

金利補てん契約の手数料 ………………………………………………………… 117

行政手数料 ………………………………………………………………………… 117

自動車保管場所証明書等の交付手数料 ………………………………………… 117

公文書の写しの交付手数料 ……………………………………………………… 117

公証人手数料 ……………………………………………………………………… 117

【解約料】

キャンセル料、解約損害金 ……………………………………………………… 118

解約手数料、取消手数料、払戻手数料等 ……………………………………… 118

建物貸借のキャンセル料 ………………………………………………………… 118

航空運賃のキャンセル料 ………………………………………………………… 118

ゴルフ場のキャンセル料 ………………………………………………………… 119

指定金銭信託に係る中途解約手数料 …………………………………………… 119

リース取引の解約損害金（平成 20 年 3 月 31 日以前に契約したリース取引）……… 119

金融商品を解約した場合の手数料 ……………………………………………… 119

モーゲージ証書に係る解約手数料 ……………………………………………… 120

【修繕費】

修繕費 ……………………………………………………………………………… 120

修繕費（非課税売上げにのみ供する資産の修理)………………………………… 120

修繕費（資本的支出に該当するもの)……………………………………………… 120

修繕費（保険金により賄うもの)…………………………………………………… 120

外航船の修理費用 ………………………………………………………………… 120

【広告宣伝費】

広告制作費 ………………………………………………………………………… 121

広告用品の購入費 ………………………………………………………………… 121

売場拡大の補てん金 ……………………………………………………………… 121

屋外看板 …………………………………………………………………………… 121

モデル報酬 ………………………………………………………………………… 121

マネキン報酬 ……………………………………………………………………… 122

CONTENTS

マネキン紹介料 ……………………………………………… 122

課税資産と非課税資産の広告費 …………………………… 122

協賛金等 ……………………………………………………… 122

名義料 ………………………………………………………… 122

出演料等 ……………………………………………………… 122

プリペイドカード等の購入費等 …………………………… 123

【荷造費等】

運送料等 ……………………………………………………… 123

外国貨物の運送料等 ………………………………………… 124

海外への引越費用 …………………………………………… 125

【特許権使用料等】

特許権等使用料 ……………………………………………… 125

特許権等のクロスライセンス ……………………………… 125

特許出願中の権利の使用料 ………………………………… 125

著作権等使用料 ……………………………………………… 126

技術指導料 …………………………………………………… 126

ノウハウの使用料 …………………………………………… 126

【交際費】

接待費 ………………………………………………………… 126

ゴルフクラブ等の入会金等 ………………………………… 127

慶弔費 ………………………………………………………… 127

贈答品費 ……………………………………………………… 128

仕立券付ワイシャツ生地 …………………………………… 128

創業記念費用 ………………………………………………… 128

社屋新築記念費用 …………………………………………… 128

旅行招待費 …………………………………………………… 129

野球場のシーズン予約席料 ………………………………… 129

チップ ………………………………………………………… 129

費途不明交際費 ……………………………………………… 129

交際費 ………………………………………………………… 129

消費税課否判定・軽減税率判定
ハンドブック

【備品・消耗品費等】

プリペイドカード等 ……………………………………………………………… 130

図書費 …………………………………………………………………………… 130

被服費 …………………………………………………………………………… 130

作業服手当 ……………………………………………………………………… 130

【貸倒損失】

貸倒損失 ………………………………………………………………………… 130

貸倒損失（免税事業者時の売上げに係るもの） …………………………… 130

貸倒損失（免税事業者となった後に生じたもの） ………………………… 131

貸倒損失（簡易課税適用者） ………………………………………………… 131

【引当金・準備金】

貸倒引当金等 …………………………………………………………………… 131

利益準備金等 …………………………………………………………………… 131

【雑費】

清掃費 …………………………………………………………………………… 131

立退料 …………………………………………………………………………… 132

近隣対策費 ……………………………………………………………………… 132

社葬費用 ………………………………………………………………………… 132

【営業外損失】

罰則金 …………………………………………………………………………… 132

支払利息・割引料 ……………………………………………………………… 133

キャップローン手数料 ………………………………………………………… 133

金地金相場に伴う金銭貸付け ………………………………………………… 133

売上割引 ………………………………………………………………………… 134

有価証券売却損 ………………………………………………………………… 134

有価証券評価損 ………………………………………………………………… 134

棚卸商品評価損 ………………………………………………………………… 134

償還差損 ………………………………………………………………………… 134

為替差損 ………………………………………………………………………… 134

負担金 …………………………………………………………………………… 134

ゴルフ会員権の買取消却 ……………………………………………………… 135

雑損失 ··· 135

【特別損失】

固定資産除却損 ··· 135

雑損失 ··· 135

立退料 ··· 135

損害賠償金 ··· 135

損害賠償金（品質不良等によるもの）············ 136

原因者負担金 ·· 136

弁護士費用 ··· 137

【輸入取引】

課税資産の輸入 ··· 137

非課税資産の輸入 ·· 137

消費者が行う輸入 ·· 137

無体財産権の輸入 ·· 137

国外に支払う技術使用料等 ··························· 138

無償での輸入 ·· 138

書籍の輸入 ··· 138

公海上での魚類の買付け ······························ 139

輸出物品（展示用）の国内への引取り ············ 139

輸出物品の返品 ··· 139

再輸出物品の輸出 ·· 139

保税地域での外国貨物の消費 ························ 139

輸入物品の割戻し ·· 139

2　貸借対照表科目

【流動資産】

現金 ·· 140

暗号資産 ·· 140

現金（収集品及び販売用）···························· 140

預貯金 ··· 140

受取手形 ·· 140

消費税課否判定・軽減税率判定 ハンドブック

売掛金 ………………………………………………………………… 141

有価証券 ……………………………………………………………… 141

商品、製品、仕掛品等 ……………………………………………… 141

前渡金 ………………………………………………………………… 141

短期貸付金 …………………………………………………………… 141

未収金 ………………………………………………………………… 141

仮払金 ………………………………………………………………… 142

立替金 ………………………………………………………………… 142

前払費用 ……………………………………………………………… 142

【有形固定資産】

土地 …………………………………………………………………… 142

建物（居住用賃貸建物を除く）、構築物、機械装置、車両運搬具等 …… 142

建物（居住用賃貸建物） …………………………………………… 142

社屋の建設代金 ……………………………………………………… 143

建物購入の際の借入金の利子 ……………………………………… 143

建設仮勘定 …………………………………………………………… 143

備品等の購入 ………………………………………………………… 143

書画・骨董の購入 …………………………………………………… 143

リース用資産の取得 ………………………………………………… 144

【無形固定資産】

営業権の譲渡等 ……………………………………………………… 144

工業所有権の譲渡等 ………………………………………………… 144

鉱業権等の譲渡等 …………………………………………………… 144

借地権等の譲渡等 …………………………………………………… 144

【投資】

信託 …………………………………………………………………… 144

出資金 ………………………………………………………………… 145

ゴルフ会員権の取得 ………………………………………………… 145

ゴルフ会員権の譲渡 ………………………………………………… 145

【繰延資産】

創業費 ………………………………………………………………… 146

創業費に含まれる給与等	146
社債発行差金	146
水道施設利用権の取得に係る負担金	147
権利金	147
ノウハウの頭金	147
広告宣伝用資産取得のための助成金	147

【流動負債】

| 前受金 | 147 |
| 預り金 | 147 |

第 2 編

第1章　消費税軽減税率制度・適格請求書等保存方式の概要 ……… 149

1	消費税軽減税率制度の概要	151
2	軽減税率の対象品目	152
3	外食等の範囲	158
4	適格請求書等保存方式	161

第2章　消費税の軽減税率判定表 …… 167

果物の仕入れ	169
①　果物を入れるトレーの仕入れ	169
②　果物をトレーに入れて販売	169
生きている家畜の販売	169
家畜を加工して食用として販売	169
食用の生きた魚を販売	169
観賞用の魚の販売	169
家畜の飼料やペットフードの販売	169

コーヒーの生豆の販売 ··· 169

果物の苗木及びその種子の販売 ·································· 169

  ① 栽培用 ··· 169

  ② 菓子や製菓用（かぼちゃの種など） ················· 170

水の販売 ··· 170

  ① 飲料水（ミネラルウォーターなど） ··················· 170

  ② 水道水（生活用水） ·· 170

氷の販売 ··· 170

  ① かき氷や飲料に入れる氷 ································ 170

  ② ドライアイスや保冷用の氷 ······························ 170

ウォーターサーバーのレンタル ······························ 170

賞味期限切れの食品を廃棄するための譲渡 ············ 170

酒の販売 ··· 170

料理用に酒を販売 ··· 171

菓子の製造用に酒を販売 ····································· 171

みりん、料理酒等の販売 ······································ 171

  ① 酒税法に規定する酒類 ··································· 171

  ② 酒税法に規定する酒類に該当しない料理酒などの発酵調味料（アルコール分
    が１度以上であるものの塩などを加えることにより飲用できないようにした
    もの）やみりん風調味料（アルコール分が１度未満のもの） ············· 171

ノンアルコールビールや甘酒（アルコール分が１度未満のもの） ······ 171

酒類を原料とした菓子の販売 ································· 171

日本酒を製造するための米の販売 ·························· 171

食品の製造に使用する「添加物」の販売 ················· 171

金箔の販売 ··· 172

  ① 食品添加物 ·· 172

  ② 工芸用 ··· 172

重曹の販売 ··· 172

  ① 食用 ·· 172

  ② 清掃用 ··· 172

炭酸ガスの販売 ·· 172

CONTENTS

栄養ドリンク（医薬部外品）の販売 ･･････････････････････････････････････ 172

特定保健用食品、栄養機能食品、健康食品、美容食品などの販売 ････････ 172

飲食料品を販売する際に使用する容器の販売 ･･･････････････････････････ 172

キャラクターを印刷したお菓子の缶箱等 ･･･････････････････････････････ 173

割り箸を付帯した弁当・ストローを付帯した飲料等 ･･･････････････････ 173

贈答用の包装など、包装材料等につき、別途対価を定めて販売 ･･･････ 173

飲用後に回収される空びんのびん代 ･･･････････････････････････････････ 173

サービスで保冷剤を付けてケーキやプリンを販売 ･････････････････････ 173

いちご狩りやなし狩りなどの入園料 ･･･････････････････････････････････ 173

自動販売機でジュースやパン、菓子等を販売 ･････････････････････････ 174

通信販売などによる飲食料品の販売 ･･･････････････････････････････････ 174

飲食料品の販売に係る送料 ･･･ 174

飲食料品に係る販売奨励金 ･･･ 174

自動販売機の販売手数料 ･･･ 174

物流センターの使用料（センターフィー）･････････････････････････････ 174

飲食料品等の委託販売 ･･･ 175

飲食料品等の委託販売手数料 ･･･ 175

飲食料品の輸入 ･･･ 175

輸入した飲食料品を飼料用として販売 ･････････････････････････････････ 175

飲食店で食材を調理 ･･･ 175

  ① テイクアウトとして販売 ････････････････････････････････････ 175

  ② 出前・宅配 ･･ 175

  ③ 店舗で提供 ･･ 175

社員食堂で飲食料品を提供 ･･･ 175

屋台やフードイベント等での飲食料品の提供 ･････････････････････････ 175

  ① テーブル・椅子などを設置する場合 ･･･････････････････････････ 175

  ② テーブル・椅子などを設置しない場合 ･････････････････････････ 176

立食形式の飲食店の飲食料品の提供 ･･･････････････････････････････････ 176

フードコートでの飲食料品の提供 ･････････････････････････････････････ 176

コンビニエンスストアのイートインスペースでの飲食 ･･･････････････ 176

スーパーマーケットの従業員専用のバックヤードでの従業員の飲食 ･･････ 176

消費税課否判定・軽減税率判定
ハンドブック

飲食店で料理の残りを持ち帰った場合 ……………………………………………… 176

セット商品のうち一部を店内飲食する場合 …………………………………… 177

飲食店のレジ前で菓子を販売 ………………………………………………………… 177

飲食店で提供する缶飲料、ペットボトル飲料の販売 ………………………… 177

列車内食堂施設での飲食料品の提供 ……………………………………………… 177

列車内の移動ワゴンによる弁当や飲料の販売 ………………………………… 177

カラオケボックスでの飲食料品の提供 …………………………………………… 177

映画館の売店での飲食料品の販売（酒税法に規定する酒類を除きます。） ………… 178

   ① 映画館の座席での飲食料品の販売 …………………………………………… 178

   ② 売店のそばにテーブル、椅子等を設置してその場で行う飲食料品の提供 ……… 178

旅館、ホテル等宿泊施設における飲食料品の提供 ………………………… 178

   ① 旅館、ホテルの宴会場等で行われる飲食料品 ………………………… 178

   ② ホテルのレストランで提供しているルームサービス

    （飲食料品を客室まで届けること） ………………………………………… 178

   ③ 客室に備え付けられた冷蔵庫内の飲食料品（酒税法に規定する酒類を除きま

    す。） ……………………………………………………………………………… 178

飲食料品のお土産付きのパック旅行 ……………………………………………… 179

バーベキュー場の施設利用料と別途食材代を受け取っている場合 ……… 179

飲食店以外で調理を行って飲食料品を提供する出張料理 ……………… 179

自宅での料理代行サービス（食材持ち込み） ………………………………… 179

社内会議室への飲食料品の配達 …………………………………………………… 179

配達先で「味噌汁付弁当」の味噌汁を取り分け用の器に注いで提供 ……… 179

学校給食 …………………………………………………………………………………… 180

学生食堂（利用は生徒の自由） …………………………………………………… 180

菓子と玩具が一緒になっている食玩の販売 …………………………………… 180

ケーキ等を容器に入れて販売 ……………………………………………………… 180

   ① 特注品の専用容器（再利用可能） …………………………………………… 180

   ② 通常の容器（再利用不可） …………………………………………………… 180

福袋の販売 ……………………………………………………………………………… 181

   ① 酒類を除く飲食料品 ……………………………………………………………… 181

   ② 食品と食品以外 …………………………………………………………………… 181

CONTENTS

非売品の販促品付きペットボトル飲料 ……………………………………… 181

スポーツ新聞や業界紙の販売 …………………………………………………… 181

コンビニエンスストアで販売する新聞 ……………………………………… 181

１週に２回以上発行する新聞（休刊日により週１回しか発行されない週がある場合）…… 182

ホテルに対して販売する新聞 …………………………………………………… 182

インターネットを通じて配信する電子版の新聞 ………………………… 182

紙の新聞と電子版の新聞のセット販売 ……………………………………… 182

第３章　仕入税額控除の要件 …………………………………… 183

○消費税の課否判定 項目別索引 ……………………………………………… 187

○消費税の軽減税率判定 項目別索引 ……………………………………… 200

※　本書は令和６年10月末現在の法令・通達等によっています。

(27)

第1編
第1章 消費税の取引区分

　消費税は、原則として、その課税期間の課税売上げに係る消費税額から課税仕入れ等に係る消費税額を控除した金額を、事業者自らが計算し、申告・納付するものです。したがって、正しい申告・納付を行うためには、日々個々の取引について、課税、非課税、免税、不課税といった、課否判定を行う必要があります。

　ここでは、消費税が課される取引等及び消費税の取引区分について解説していきます。

1 消費税が課される取引等

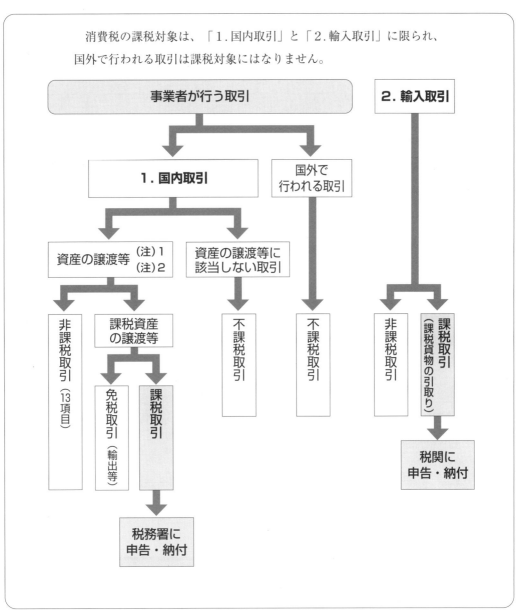

(注) 1　資産の譲渡等とは、事業として対価を得て行われる資産の譲渡及び貸付け並びに役務の提供をいいます。
　　 2　資産の譲渡等のうち特定資産の譲渡等に該当するものは、特定課税仕入れとして役務の提供を受けた事業者に納税義務が課されます。

2　消費税の取引区分

1．課税取引（国内取引の場合）

課税対象は、次の要件を全て満たす取引となります。

---

(1)　国内において行うもの（国内取引）

(2)　事業者が事業として行うもの

(3)　対価を得て行うもの

(4)　資産の譲渡、資産の貸付け、役務の提供

---

(1)　国内において行うものとは

消費税は国内取引に対して課税されます。

事業者が国内と国外にわたって取引を行っている場合は、以下の判定基準をもとに、国内取引であるか国外取引であるかを判定します。

① 資産の譲渡又は貸付けの場合

資産の譲渡又は貸付けが行われる時において、その資産の所在する場所が国内であれば国内取引になります。

したがって、その資産の所在する場所が国外であれば、消費税の課税対象外（いわゆる「不課税取引」）になります。

② 役務の提供の場合

役務の提供が行われた場所が国内であれば、国内取引になります。

したがって、その役務の提供が行われた場所が国外であれば、消費税の課税対象外（不課税取引）になります。

> **ポイント**　◎国内と国外にわたって取引を行っている場合は、その取引内容に応じて、国内取引であるかどうかの判定が必要です。

(2) **事業者が事業として行うものとは**

事業者が事業として行う取引を課税対象としています。

事　業　者	事　　業
・個人事業者（事業を行う個人） ・法人	対価を得て行われる資産の譲渡等を反復、継続かつ独立して遂行すること

法人が行う取引は全て「事業として」に該当します。

個人事業者の場合は、事業者の立場と消費者の立場とを兼ねていますから、事業者の立場で行う取引が「事業として」に該当し、消費者の立場で行う資産の譲渡（例：家庭で使用しているテレビ等家事用資産の売却）等は「事業として」に該当しません。

> **ポイント**　◎個人事業者は、事業者の立場で行う取引が課税の対象です。

(3) **対価を得て行うものとは**

資産の譲渡等に対して反対給付を受けること（＝反対給付として対価を得る取引）をいいます。

したがって、寄附金、補助金のようなものは一般的には資産の譲渡等の対価に該当せず、原則として課税対象になりません。また、無償の取引（みなし譲渡に該当するものは除きます。）や利益の配当、宝くじの当せん金等も同様に課税対象になりません。

> **ポイント**　◎対価を得る取引とは、反対給付を受ける取引のことです。

(4) **資産の譲渡、資産の貸付け、役務の提供とは**

① **資産の譲渡とは**

売買や交換等の契約により、資産の同一性を保持しつつ、他人に移転することをいいます。

> **「資産」＝**　棚卸資産、機械装置、建物などの**有形資産**
> 商標権、特許権などの**無形資産**など
> 取引（譲渡又は貸付け）の対象となるものは全て含まれます。

② **資産の貸付けとは**

賃貸借や消費貸借等の契約により、資産を他の者に貸し付け、使用させる一切の行為をいいます。

なお、「資産を他の者に使用させる」とは、動産、不動産、無体財産権その他の資産

を他の者に使用させること（例：自動車のレンタル、貸倉庫や貸金庫の賃貸）をいいます。

③　役務の提供とは

　　請負契約、運送契約、委任契約、寄託契約などに基づいて労務、便益その他のサービス（例：請負、宿泊、飲食、出演、広告、運送、委任）を提供することをいいます。

　　また、税理士、公認会計士、作家、スポーツ選手、映画俳優、棋士などによる、その専門的知識、技能に基づく役務の提供もこれに含まれます。

　　（1）～（4）の要件のどれか一つでも満たしていない取引は、消費税の課税対象外（「不課税取引」）です。

※　国境を越えた役務の提供に係る消費税の課税関係については、「3　国境を越えた役務の提供に係る消費税の課税関係」をご参照ください。

2．課税取引（輸入取引の場合）

保税地域から引き取られる外国貨物が課税対象です。

　また、保税地域において外国貨物が消費され又は使用された場合には、その消費又は使用した者がその消費又は使用の時に外国貨物を保税地域から引き取るものとみなして課税されます。

ポイント　◎課税対象＝保税地域から引き取られる外国貨物

3．非課税取引

　消費税の消費一般に広く公平に負担を求める税の性格からみて、課税対象になじまないものや社会政策的な配慮から課税することが適当でない取引があります。

【主な非課税取引】

	取　　引	備　　考
1	土地の譲渡及び貸付け	土地には、借地権などの土地の上に存する権利を含みます。 　ただし、1か月未満の土地の貸付け及び駐車場などの施設の利用に伴って土地が使用される場合は、非課税取引には当たりません。
2	①有価証券等の譲渡	国債や株券などの有価証券、登録国債、合名会社などの社員の持分、抵当証券、金銭債権などの譲渡 　ただし、株式・出資・預託の形態によるゴルフ会員権などの譲渡は非課税取引には当たりません。
	②支払手段の譲渡	銀行券、政府紙幣、小額紙幣、硬貨、小切手、約束手形などの譲渡 　ただし、これらを収集品として譲渡する場合は非課税取引には当たりません。 （注）　支払手段に類するものとして、資金決済に関する法律第2条第5項に規定する電子決済手段及び同法第2条第14項に規定する暗号資産の譲渡は非課税となります。

	取　引	備　考
3	預貯金の利子及び保険料を対価とする役務の提供等	預貯金や貸付金の利子、信用保証料、合同運用信託や公社債投資信託の信託報酬、保険料、保険料に類する共済掛金など
4	①日本郵便株式会社などが行う郵便切手類の譲渡、印紙の売渡し場所における印紙の譲渡及び地方公共団体などが行う証紙の譲渡	
	②商品券、プリペイドカードなどの物品切手等の譲渡	
5	①国等が行う一定の事務に係る役務の提供	国、地方公共団体、公共法人、公益法人等が法令に基づいて行う一定の事務に係る役務の提供で、法令に基づいて徴収される手数料なお、この一定の事務とは、例えば、登記、登録、特許、免許、許可、検査、検定、試験、証明、公文書の交付などです。
	②外国為替業務に係る役務の提供	
6	社会保険医療の給付等	健康保険法、国民健康保険法などによる医療、労災保険、自賠責保険の対象となる医療などただし、美容整形や差額ベッドの料金及び市販されている医薬品を購入した場合は非課税取引に当たりません。
7	①介護保険サービスの提供	介護保険法に基づく保険給付の対象となる居宅サービス、施設サービスなどただし、サービス利用者の選択による特別な居室の提供や送迎などの対価は非課税取引には当たりません。
	②社会福祉事業等によるサービスの提供	社会福祉法に規定する第一種社会福祉事業、第二種社会福祉事業、更生保護事業法に規定する更生保護事業などの社会福祉事業等によるサービスの提供
8	助産	医師、助産師などによる助産に関するサービスの提供
9	火葬料や埋葬料を対価とする役務の提供	
10	一定の身体障害者用物品の譲渡や貸付け	義肢、視覚障害者安全つえ、義眼、点字器、人工喉頭、車椅子、改造自動車などの身体障害者用物品の譲渡、貸付け、製作の請負及びこれら身体障害者用物品の修理のうち一定のもの
11	学校教育	学校教育法に規定する学校、専修学校、修業年限が１年以上などの一定の要件を満たす各種学校等の授業料、入学検定料、入学金、施設設備費、在学証明手数料など
12	教科用図書の譲渡	
13	住宅の貸付け	契約において人の居住の用に供することが明らかなものに限られます（契約において貸付けに係る用途が明らかにされていない場合であっても、その貸付け等の状況からみて人の居住の用に供されていることが明らかな場合も含みます。）。ただし、１か月未満の貸付けなどは非課税取引には当たりません。

4．免税取引

　消費税は、国内における商品の販売やサービスの提供などに課税されるものです。

　課税事業者が輸出取引や国際輸送などの輸出に類似する取引として行う課税資産の譲渡等については、消費税が免除されます。

3 国境を越えた役務の提供に係る消費税の課税関係

1．電気通信利用役務の提供に係る課税関係等

⑴ 「電気通信利用役務の提供」とは

「電気通信利用役務の提供」とは、電気通信回線（インターネット等）を介して行われる電子書籍・広告の配信などの役務の提供をいいます。

また、国外事業者が行う「電気通信利用役務の提供」のうち、役務の性質や取引条件等から当該役務の提供を受ける者が通常事業者に限られるものを「事業者向け電気通信利用役務の提供」といい、それ以外の取引を「消費者向け電気通信利用役務の提供」といいます。

「電気通信利用役務の提供」に該当する取引の具体例

電気通信利用役務の提供に該当する取引は、対価を得て行われる以下のようなものが該当します。

① インターネット等を介して行われる電子書籍・電子新聞・音楽・映像・ソフトウエア（ゲームなどの様々なアプリケーションを含みます。）の配信

② 顧客に、クラウド上のソフトウエアやデータベースを利用させるサービス

③ 顧客に、クラウド上で顧客の電子データの保存を行う場所の提供を行うサービス

④ インターネット等を通じた広告の配信・掲載

⑤ インターネット上のショッピングサイト・オークションサイトを利用させるサービス（商品の掲載料金等）

⑥ インターネット上でゲームソフト等を販売する場所を利用させるサービス

⑦ インターネットを介して行う宿泊予約、飲食店予約サイト（宿泊施設、飲食店等を経営する事業者から掲載料等を徴するもの）

⑧ インターネットを介して行う英会話教室

「電気通信利用役務の提供」に該当しない取引の具体例

電気通信利用役務の提供に該当しない取引は、通信そのもの、若しくは、その電気通信回線を介して行う行為が他の資産の譲渡等に付随して行われるもので、具体的には以下のようなものが該当します。

① 電話、FAX、電報、データ伝送、インターネット回線の利用など、他者間の情報伝達を単に媒介するもの（いわゆる通信）

② ソフトウエアの制作等

※ 著作物の制作を国外事業者に依頼し、その成果物の受領や制作過程の指示をインターネット等を介して行う場合がありますが、当該取引も著作物の制作という他の資産の譲渡等に付随してインターネット等が利用されているものですので、電気通信利用役務の提供に該当しません。

③ 国外に所在する資産の管理・運用等（ネットバンキングも含まれます。）

※ 資産の運用、資金の移動等の指示、状況、結果報告等について、インターネット等を介して連絡が行われたとしても、資産の管理・運用等という他の資産の譲渡等に付随してインターネット等が利用されているものですので、電気通信利用役務の提供に該当しません。

ただし、クラウド上の資産運用ソフトウエアの利用料金等を別途受領している場合には、その部分は電気通信利用役務の提供に該当します。

④ 国外事業者に依頼する情報の収集・分析等

※ 情報の収集、分析等を行ってその結果報告等について、インターネット等を介して連絡が行われたとしても、情報の収集・分析等という他の資産の譲渡等に付随してインターネット等が利用されているものですので、電気通信利用役務の提供に該当しません。

ただし、他の事業者の依頼によらずに自身が収集・分析した情報について対価を得て閲覧に供したり、インターネットを通じて利用させるものは電気通信利用役務の提供に該当します。

⑤ 国外の法務専門家等が行う国外での訴訟遂行等

※ 訴訟の状況報告、それに伴う指示等について、インターネット等を介して行われたとしても、当該役務の提供は、国外における訴訟遂行という他の資産の譲渡等に付随してインターネット等が利用されているものですので、電気通信利用役務の提供に該当しません。

(2) 「電気通信利用役務の提供」が国内取引であるかの判定基準

「電気通信利用役務の提供」については、役務の提供を受ける者の住所等が国内であれば、国内取引になります。

ただし、国内事業者の国外事業所等で受ける「事業者向け電気通信利用役務の提供」のうち、国内以外の地域において行う資産の譲渡等にのみ要するものは国外取引に、国外事業者の国内の恒久的施設で受ける「事業者向け電気通信利用役務の提供」のうち、国内において行う資産の譲渡等に要するものは国内取引になります。

(3) 「事業者向け電気通信利用役務の提供」に係る課税方式（リバースチャージ方式）

① リバースチャージ方式とは

リバースチャージ方式とは、消費税の申告・納税義務を役務の提供を行った国外事業者ではなく、当該役務の提供を受けた（課税仕入れを行った）事業者に課す課税方式です。

② 対象となる取引

対象となる取引は、国外事業者が行う「事業者向け電気通信利用役務の提供」及び「特定役務の提供」です（これらを「特定資産の譲渡等」といいます。）。

事業者が国内で行った課税仕入れのうち「特定資産の譲渡等」に該当するものを

「特定課税仕入れ」といい、当該「特定課税仕入れ」を行った事業者にリバースチャージ方式による申告・納税義務が課されます。

> **ポイント** ◎リバースチャージ方式は、一般課税により申告する場合で、課税売上割合が95％未満である事業者にのみ適用されます。

　その課税期間において、課税売上割合が95％以上の事業者や簡易課税制度が適用される事業者は、「事業者向け電気通信利用役務の提供」又は「特定役務の提供」を受けた場合であっても、経過措置により当分の間、その役務の提供に係る仕入れはなかったものとされますので、その課税期間の消費税の確定申告では、当該仕入れは課税標準額、仕入控除税額のいずれにも含まれません（リバースチャージ方式による申告は必要ありません。）。

③　事業者向け電気通信利用役務の提供を受けた場合の内外判定基準

　　国外事業者から受けた「事業者向け電気通信利用役務の提供」（特定仕入れ）に係る消費税の内外判定基準（課税対象となる国内取引に該当するかどうかの判定基準）については、次のとおりとなっています。

特定仕入れを行う事業者	平成29年1月1日以前に行った特定仕入れ	現　　行
国内事業者	「事業者向け電気通信利用役務の提供」を受けた（特定仕入れを行った）事業者の住所又は居所（現在まで引き続いて1年以上居住する場所をいいます。）又は本店若しくは主たる事務所の所在地	国内事業者が国外事業所等（※）で受ける「事業者向け電気通信利用役務の提供」のうち、国内以外の地域において行う資産の譲渡等にのみ要するものである場合は、国外取引とする
国外事業者		国外事業者が恒久的施設（※）で受ける「事業者向け電気通信利用役務の提供」のうち、国内において行う資産の譲渡等に要するものである場合は、国内取引とする

※　所得税法又は法人税法上の国外事業所等又は恒久的施設をいいます。

⑷　「消費者向け電気通信役務の提供」に係る課税方式

　国外事業者が行う消費者向け電気通信利用役務の提供については、役務の提供を行った国外事業者が消費税の申告・納税を行うこととなります。

　ただし、令和7年4月1日以後に国外事業者が、デジタルプラットフォーム（※1）を介して行う消費者向け電気通信利用役務の提供で、かつ、特定プラットフォーム事業者（※2）を介して当該役務の提供の対価を収受するものについては、特定プラットフォーム事業者が当該役務の提供を行ったものとみなして申告・納税を行うこととなります。

　　※1　デジタルプラットフォームとは、アプリストアやオンラインモールなどがこれに該当します。
　　※2　特定プラットフォーム事業者とは、プラットフォーム事業者のその課税期間において、その提供するデジタルプラットフォームを介して国外事業者が日本国内向けに行う消費者向け電気通信利用役務の提供に係る対価の額のうち、当該プラットフォーム事業者を介して収受するものの合計額が50億円を超え、国税庁長官の指定を受けた事業者をいいます。

2．特定役務の提供（国外事業者が国内で行う芸能・スポーツ等の役務の提供）に係る課税方式等

⑴　「特定役務の提供」とは

　「特定役務の提供」とは、国外事業者が行う、映画若しくは演劇の俳優、音楽家その他の芸能人又は職業運動家の役務の提供を主たる内容とする事業として行う役務の提供のうち、当該国外事業者が他の事業者に対して行うもの（不特定かつ多数の者に対して行う役務の提供を除きます。）をいいます。

⑵　納税義務者（リバースチャージ方式について）

　国外事業者が国内で行う「特定役務の提供」については、「事業者向け電気通信利用役務の提供」と同様に、当該役務の提供を受けた事業者が「特定課税仕入れ」としてリバースチャージ方式により申告・納税を行うこととなります。

第1編
第2章 消費税の課否判定表

　この課否判定表は、日常の取引について、損益計算書科目（売上・収益編／仕入・費用編）と貸借対照表科目に分け、その勘定科目ごとに具体的な取引項目が課税、非課税、免税、不課税のいずれになるかを○×式で判定しています。また、50音順の項目索引から直接、目的の取引項目を探し出すこともできるよう工夫しています。

1　損益計算書科目

売上・収益編

項　目	判定事例	課否判定
	【国内取引】	
課税資産の譲渡	国内において、事業者が事業として対価を得て行う課税資産の譲渡は、課税売上げになりますか。 **解説** 　事業者とは、法人及び個人事業者をいいます。 　なお、法人には、国、地方公共団体、公共法人、公益法人、協同組合、人格のない社団等も含まれます。	 なります
課税資産の貸付け	国内において、事業者が事業として対価を得て行う課税資産の貸付けは、課税売上げになりますか。 **解説** 　課税資産の貸付けには、不動産、無体財産権、その他の資産に地上権、利用権等の権利を設定する行為も含まれます（非課税取引を除きます。）。	 なります
役務の提供	国内において、事業者が事業として対価を得て行う役務の提供は、課税売上げになりますか。 **解説** 　役務の提供とは、請負契約、運送契約などにより、労務、便益、その他のサービスを提供することをいいます。 　例えば、請負、宿泊、出演、広告、運送などのほか、税理士、弁護士、作家、スポーツ選手、映画俳優、棋士等によるその専門的知識や技能に基づく役務の提供も含まれます。	 なります

項　目	判定事例	課否判定
作家等が行う広告宣伝	作家、俳優、プロ野球選手等事業者に該当する者が行う広告宣伝のための役務の提供は、課税売上げになりますか。	◯ なります
作家等が行うテレビ出演	作家、俳優、プロ野球選手等事業者に該当する者がテレビ出演した際の出演料は、課税売上げになりますか。	◯ なります
非課税資産の譲渡等	国内において、事業者が事業として対価を得て行う取引のうち、次の取引も課税売上げになりますか。 ① 土地等の譲渡及び貸付け ② 社債、株式など有価証券等及び支払手段の譲渡 ③ 利子、信用保証、信託報酬、保険料 ④ 郵便切手類、印紙、証紙の譲渡 ⑤ 商品券、プリペイドカードなど物品切手等の譲渡 ⑥ 住民票、戸籍抄本などの行政手数料等 ⑦ 国際郵便為替、外国為替等 ⑧ 社会保険医療など ⑨ 介護保険サービス ⑩ 社会福祉事業など ⑪ お産費用など ⑫ 埋葬料、火葬料 ⑬ 一定の身体障害者用物品の譲渡、貸付けなど ⑭ 一定の学校の授業料、入学金、入学検定料等 ⑮ 教科用図書の譲渡 ⑯ 住宅の貸付け	✕ 全て非課税です
外国法人に対する課税資産の譲渡	事業者が、国内において外国法人に対して課税資産を販売した場合は、課税売上げになりますか。	◯ なります
非居住者に対する課税資産の譲渡	事業者が、国内において非居住者に対して課税資産を販売した場合は、課税売上げになりますか。	◯ なります

項　目	判定事例	課否判定

税務署長の許可を受けた輸出物品販売場（免税ショップ）において、外国人旅行者等の免税購入対象者に対する販売は、免税となります。

なお、免税購入対象者とは、外国為替及び外国貿易法第6条第1項第6号に規定する非居住者であって、一定の要件を満たす者をいい、具体的には次のとおりです。

国　籍	免税購入対象者
外国籍	①　「短期滞在」、「外交」、「公用」の在留資格をもって在留する者（出入国管理及び難民認定法別表1の1、1の3） ②　寄港地上陸許可、船舶観光上陸許可、通過上陸許可、乗員上陸許可、緊急上陸許可、遭難による上陸許可を受けて在留する者（出入国管理及び難民認定法14〜18） ③　合衆国軍隊の構成員等（日本国とアメリカ合衆国との間の相互協力及び安全保障条約第6条に基づく施設及び区域並びに日本国における合衆国軍隊の地位に関する協定1）
日本国籍	非居住者であって、国内以外の地域に引き続き2年以上住所又は居所を有する者であることについて、その者に係る領事館（領事館の職務を行う大使館若しくは公使館の長又はその事務を代理する者を含みます。）の在留証明又は戸籍の附票の写し（最後に入国した日から起算して6月前の日以後に作成されたものに限ります。）により確認された者

外国公館等に対する課税資産の譲渡	事業者が国内において外国公館等に対して課税資産を販売した場合は、課税売上げになりますか。 **注意** ただし、次の要件が全て満たされた場合です。 なお、相互条件により、国ごとに免税範囲は異なります。 ①　外国公館等が、外務省大臣官房儀典統括官が発行した証明書（免税カード等）の交付を受けていること ②　課税事業者が、国税庁長官の外国公館等免税店舗の指定を受けていること	 免税です
サラリーマンが行う資産の譲渡等	サラリーマンが行う次の資産の譲渡等は、課税売上げになりますか。 ①　たまたま自己の所有していた絵画を販売した場合	 不課税です
	②　たまたまテレビ出演した場合に受け取る出演料	 不課税です

17

項　目	判定事例	課否判定
	③　所有する土地に施設を施し、駐車場として継続的に貸し付けている場合 **解説** サラリーマンが行う取引であっても、独立して反復継続して行う取引は「事業者が事業として」行う取引になります。	なります
個人事業者の家事用資産の譲渡	個人事業者が、自宅で生活用として使用していた電気製品などの家事用資産を譲渡した場合は、課税売上げになりますか。 **解説** 個人事業者の家事用資産の譲渡は、「事業として」行う取引には該当しません。	不課税です
個人事業者の事業用資産の譲渡	個人事業者が配達用に使用していた自動車などの事業用資産を譲渡した場合は、課税売上げになりますか。	なります
個人事業者の家事消費	個人事業者が事業用資産を家事消費又は家事使用した場合は、課税売上げになりますか。 　この場合、原則として、家事消費等をした資産の時価に相当する金額が課税売上げの金額となります。 　ただし、家事消費に係る資産が棚卸資産の場合は、当該棚卸資産の課税仕入れに係る支払対価の額に相当する金額以上の金額で、かつ、通常の販売価額の50％以上の金額であれば、その金額が課税売上げの金額となります。	なります
無償譲渡	事業者が、棚卸資産を取引先に無償で譲渡した場合は、課税売上げになりますか。	不課税です
代物弁済	借入金の返済のために事業用資産である自動車を引き渡した場合は、課税売上げになりますか。	なります

項　目	判定事例	課否判定
	解説 ① 代物弁済や負担付き贈与等による資産の譲渡は、対価を得て行われる資産の譲渡に類する行為として資産の譲渡等に含まれます。 ② 代物弁済による資産の譲渡等の対価の額は、その代物弁済により消滅する債務の額です。 　例えば、100万円の借入金の返済のために120万円相当の事業用資産を引き渡した場合の資産の譲渡等の対価の額は100万円となります。	
担保権が実行された担保物件	担保に提供していた担保物（課税資産）について担保権が実行された場合、課税売上げになりますか。 解説 　担保権の実行により、債権者に対する弁済として債務者から債権者に対して行われた担保の目的物の譲渡は、代物弁済による資産の譲渡等に該当し、担保の目的物が課税資産であれば、消費税の課税の対象となります。 　また、担保権の実行として換価が行われた場合も、債務者からその換価により担保の目的物を取得した者に対する資産の譲渡等が行われたこととなり、担保の目的物が課税資産であれば、消費税の課税の対象となります。	 なります
	担保に提供していた担保物（土地）について担保権が実行された場合、課税売上げになりますか。	 非課税です
負担付き贈与	法人が購入する看板や陳列棚等の資産に、取引先のブランド名を表示することを条件として交付された広告宣伝用資産の取得助成金は、課税売上げになりますか。	 なります
	法人が、取引先から取引先のブランド名を表示した看板や陳列棚等の資産を贈与された場合、その受贈益は課税売上げになりますか。	 不課税です
法人の役員に対する低額譲渡	法人が、その役員に対して著しく低い価額で棚卸資産や事業用資産を譲渡（低額譲渡）した場合は、課税売上げになりますか。	 なります

項　目	判定事例	課否判定
	① この場合、原則として、その棚卸資産や事業用資産の時価（法人税法上の取扱いと同一で、売却を前提とした実現可能価額）に相当する金額が課税売上げの金額となります。 ② 著しく低い価額とは、通常の販売価額のおおむね50％に満たない金額又は課税仕入れの金額未満の場合をいいます。	
法人の従業員に対する低額譲渡	法人が、その従業員に対して著しく低い価額で棚卸資産や事業用資産を譲渡（低額譲渡）した場合は、課税売上げになりますか。	なります
	この場合は、譲渡価額が課税売上げの金額となります。	
法人の役員に対する贈与	法人が、その役員に対して棚卸資産や事業用資産を贈与した場合は、課税売上げになりますか。	なります
	この場合、その棚卸資産等の時価に相当する金額が課税売上げの金額となります。	
法人の従業員に対する贈与	法人が、その従業員に対して棚卸資産や事業用資産を贈与した場合は、課税売上げになりますか。	不課税です
法人の役員に対する低額な住宅の貸付け	法人が、その役員に対して著しく低い価額で住宅の貸付けを行っていた場合は、課税売上げになりますか。	非課税です
法人の役員に対する住宅の無償貸付け	法人が住宅の貸付けを行っており、従業員からは家賃を受領し、役員に対しては無償で貸し付けていた場合、役員の家賃相当額は、課税売上げになりますか。 解説 法人がその役員に対して無償で行った資産の貸付けや役務の提供は、みなし譲渡の対象とはされていません。	不課税です

項　目	判定事例	課否判定
共同企業体の利益の分配	共同企業体から受領する、共同事業に係る利益の分配金は、課税売上げになりますか。 **解説** 　共同企業体が行う取引は、原則として出資割合等に応じ各構成員に帰属することになりますので、その出資割合等に応じて各構成員が資産の譲渡又は課税仕入れを行ったことになります。	✕ 不課税です
現物出資（建物）	建物を現物出資する場合は、課税売上げになりますか。 **解説** 　現物出資により取得する株式等の取得の時における価額が、資産の譲渡等の対価の額となります。	◯ なります
現物出資（土地）	土地を現物出資する場合は、課税売上げになりますか。	✕ 非課税です
交換（建物）	互いに所有する建物を交換した場合は、課税売上げになりますか。 **参考** 　この場合、交換により取得する資産の時価が課税売上げの金額となります。 　なお、その交換につき、差額を補うための金銭を受け取った場合は、その金銭の額を加算した金額が課税売上げとなり、差額を補うための金銭を支払った場合は、その支払う金銭の額を控除した金額が課税売上げとなります。	◯ なります
交換（土地と建物）	自社の所有する土地を他社の所有する建物と交換した場合は、課税売上げになりますか。	✕ 非課税です
	自社の所有する建物を他社の所有する土地と交換した場合は、課税売上げとなりますか。	◯ なります
換地処分	土地区画整理法等に基づく換地処分は、課税売上げとなりますか。	✕ 不課税です

【第1編】　第2章　消費税の課否判定表──損益計算書科目【売上・収益編】

項　目	判定事例	課否判定
	解説 　権利の変換であるため、資産の譲渡等には該当しません。	
	換地処分に伴い授受される清算金は、課税売上げとなりますか。	✕ 非課税です
強制換価	自社の建物が強制換価手続により換価された場合は、課税売上げになりますか。	◯ なります
	自社の土地が強制換価手続により換価された場合は、課税売上げになりますか。	✕ 非課税です
保証債務	保証債務を履行するために行った建物の譲渡は、課税売上げになりますか。	◯ なります
先物取引	次の商品先物取引について、課税売上げになりますか。 ①　現物の引渡しが行われる場合	◯ なります
	②　受渡し期限前に反対売買をして差金の授受が行われる場合	✕ 不課税です
未経過固定資産税等	不動産売買契約において、固定資産税、都市計画税の未経過分を売主が買主から受領している場合には、課税売上げになりますか。	◯ なります
	解説 　未経過分の固定資産税相当額は、税金として買主に課されるべきものではなく、いわば、売主との値決めの際の一要素となるもので、その不動産の譲渡の対価を構成することになりますので、消費税の課税の対象となります。	

項　目	判定事例	課否判定
スタンプ券の発行	自社発行したスタンプ券についての次の取引は、課税売上げになりますか。	
	①　商品等の購入者に対して、無償で交付した場合	✕ 不課税です
	②　所定の枚数を呈示した者に対して、一定の景品を引き渡した場合 **参考** なお、景品の仕入れは課税仕入れになります。	✕ 不課税です
	③　スタンプ券の枚数に応じて値引き販売する場合	〇 なります
従業員に対する食事の提供	次のような形態で、自社の従業員に食事を提供する場合、課税売上げになりますか。	
	①　直営食堂施設で食事を無償提供した場合	✕ 不課税です
	②　直営食堂施設で代金を徴収して食事を提供した場合	〇 なります
	③　委託給食施設で無償で食事を提供した場合	✕ 不課税です
	④　委託給食施設で代金を徴収して食事を提供した場合	〇 なります
	⑤　外部から購入した弁当を無償で提供した場合	✕ 不課税です

【第1編】第2章　消費税の課否判定表――損益計算書科目【売上・収益編】

項　目	判 定 事 例	課 否 判 定
	⑥　外部から購入した弁当を会社で代金の一部を負担して有償で提供した場合	○ なります
	⑦　食事代として現金を支給した場合	✕ 不課税です
団体保険等の集金事務手数料	従業員の団体保険に係る集金事務を代行した場合の集金事務手数料は、課税売上げになりますか。	○ なります
同業者団体等の発行する会報等	同業者団体が会報、機関紙等を発行した場合に受け取る次の会費等は、課税売上げになりますか。	
	①　会員等にのみ配付する会報を、会員等に無償で配付する場合	✕ 不課税です
	②　会員等にのみ配付する会報を、会員等から購読料、特別会費等を受領して配付する場合	○ なります
	③　会員等以外の者にも配付する会報を、会員等に無償で配付する場合	✕ 不課税です
	④　会員等以外の者にも配付する会報を、会員等以外の者から購読料等を受領して配付する場合	○ なります
	⑤　会員等以外の者にも配付する会報を、会員等及び会員等以外の者ともに購読料等を受領して配付する場合	○ なります
	⑥　書店で販売する会報を会員等に無償で配付する場合	✕ 不課税です

項　目	判定事例	課否判定
	⑦　会報を書店で販売する場合	○ なります
クレジットカードの年会費	クレジットカード会社が受け取る年会費は、課税売上げになりますか。	○ なります
宗教法人の事業収入等	宗教法人が行う次の事業に係る収入は、課税売上げになりますか。	
	①　葬儀、法要等に伴う収入（戒名料、お布施、玉串料等）	✕ 不課税です
	②　お守り、お札、おみくじ等の販売	✕ 不課税です
	③　絵葉書、写真帳、暦、線香、ろうそく、供花等の販売	○ なります
	④　永代使用料を受領して行う墳墓地の貸付け **解説** 「土地の貸付け」に当たることから非課税です。	✕ 非課税です
	⑤　墓地、霊園の管理料	○ なります
	⑥　駐車場の経営	○ なります
	⑦　土地の貸付け	✕ 非課税です

【第1編】第2章　消費税の課否判定表──損益計算書科目【売上・収益編】

項　目	判定事例	課否判定
	⑧　建物の貸付け ただし、住宅の貸付けは非課税です。	なります
	⑨　神前結婚、仏前結婚の挙式等の行為	
	a　挙式行為のうち、本来の宗教活動の一部と認められるもの	不課税です
	b　挙式後の披露宴における飲食物の提供	なります
	c　挙式のための衣装その他の物品の貸付け	なります
	⑩　幼稚園の経営等	
	a　保育料、入園料、入園検定料、施設設備費	非課税です
	b　制服・制帽等の販売	なります
	c　ノート、筆記具等文房具の販売	なります
	d　幼稚園における在園児を対象とする延長保育料	非課税です

項　目	判定事例	課否判定
	⑪　常設の美術館、博物館、資料館、宝物館等における所蔵品の観覧	○ なります
	⑫　新聞、雑誌、講話・法話集、教典の出版、販売	○ なります
	⑬　茶道、生花、書道等の教授	○ なります
	⑭　拝観料	✕ 不課税です
宗教法人が受け取る助成金	宗教法人が学校教育法に係る幼稚園を経営し、地方公共団体から私学助成金（私立幼稚園教育振興事業費補助金等）を収受した場合の、その私学助成金は課税売上げになりますか。	✕ 不課税です

参考

特定収入に該当します。

項　目	判定事例	課否判定
駐車違反車両の移動、保管	違法駐車した車両のレッカー移動及び保管業務を請け負っている場合の請負代金は、課税売上げになりますか。	○ なります

【国外取引】

項　目	判定事例	課否判定
国外取引	国外において、事業者が事業として対価を得て行う「資産の譲渡及び貸付け並びに役務の提供」は、課税売上げになりますか。	✕ 不課税です
外国にある資産の譲渡	事業者が、国外の支店で所有する棚卸資産を販売した場合は、課税売上げになりますか。	✕ 不課税です

【第1編】　第2章　消費税の課否判定表——損益計算書科目【売上・収益編】

27

項　目	判定事例	課否判定
	> 解説 　売上先が国内の事業者であっても、譲渡する資産が国外にあれば、不課税となります。	
	事業者が、国外に所有する自社ビルを譲渡した場合は、課税売上げになりますか。	 不課税です
国外での請負工事	国外での請負工事は、課税売上げになりますか。	 不課税です
船荷証券の譲渡	次の船荷証券の譲渡は、課税売上げになりますか。 ①　表彰する貨物が国外に所在する場合 > 解説 　船荷証券の譲渡は、譲渡が行われる時のその表彰されている貨物の所在場所により内外判定を行います。 　ただし、次のように取り扱っても差し支えありません。 　イ　輸入貨物の場合…船荷証券上の荷揚地が国内であるもの（輸入貨物に係る船荷証券）については、その写しの保存を要件として国内取引（輸出免税） 　ロ　輸出貨物の場合…船荷証券上の荷揚地が外国であるものについては国外取引（不課税）	 不課税です
	②　表彰する貨物が国内に所在する場合 > 解説 　①の解説を参照してください。	 なります
国外取引に係る割賦手数料等	国外に所在する資産を現地法人に割賦販売又は延払いの方法で販売し、その契約において手数料の額又は利子若しくは保証料の額を明示した場合、その手数料等は課税売上げになりますか。 > 解説 　手数料等は非課税売上げに該当しますが、非課税資産の輸出等を行った場合は免税とみなされ、課税売上割合の計算上、分母・分子の両方に算入されます。	 免税です

項　目	判定事例	課否判定
海外プラント工事の下請	海外で建設される生産設備等に関して、国内の元請先から技術的な指導、助言、監督に関する業務について受注を受けた場合は、課税売上げになりますか。 ① プラント工事の資材の大部分が国内で調達されている場合 解説 生産設備等とは、建物及び建物付属設備、構築物、鉱工業生産設備、発電及び送電施設、鉄道、道路、港湾設備その他の運輸施設、漁業生産施設、変電及び配電施設、ガス貯蔵及び供給施設、石油貯蔵施設、通信施設、放送施設、工業用水道施設、上水道施設、下水道施設、汚水処理等施設、農業生産施設、林業生産施設、船舶、鉄道用車両、航空機などをいいます。	なります
	② プラント工事の資材の大部分が国外で調達されている場合	不課税です
国内外での設計作業	国内の設計事務所が国外の建設工事のための設計作業を国内と国外に分けて行った場合の設計料は、課税売上げになりますか。 参考 この場合、それが非居住者に対するものであれば、輸出免税の対象となります。	なります
国外での機械設備の据付け	国外で据付けを行う機械設備の請負製作及び据付けを国外の法人から受注し、本体を国内で製作した上で国外に搬出し国外で据え付けた場合は、課税売上げになりますか。 解説 機械の製作（役務の提供）と、機械の据付け（引渡し）が区分されている契約であっても、その契約が機械の完成引渡しを約するものである場合、引渡しを完了した時点で内外判定を行います。 したがって、国外で引渡しを行いますから、役務の提供部分も含めて国外取引に該当します。	不課税です

項　目	判定事例	課否判定
国外イベントの企画・立案	国外で行うイベントの企画・立案を国内で行った場合、課税売上げになりますか。 **解説** 開催地が国外ですから、その役務の提供の完結場所が国外となります。 したがって、国外取引に該当します。	 不課税です
国外での広告	国内の広告会社が、国外の広告媒体に広告を掲載することを請け負う場合、この役務の提供は課税売上げになりますか。	 不課税です
国外での広告（企画・立案等を含む）	国内の広告会社が、広告の企画・立案、広告媒体との交渉、調整、管理等を請け負うとともに、国外の広告媒体に広告を掲載することを請け負う場合、この役務の提供は課税売上げになりますか。 **解説** 役務の提供が国内・国外に渡って行われたもの又は役務の提供が行われた場所が明らかでないものは、役務の提供を行う者の役務を行う事務所等の所在地により、内外判定を行います（電気通信利用設備を除きます。）。	 なります
外国法人の発行する株式の譲渡	次の「外国法人の発行する株式の譲渡」は、課税売上げになりますか。 ①　国内において所有しているもの	 非課税です
	②　国外において所有しているもの	 不課税です
外国法人の出資持分の譲渡	外国の法人に対する出資で、持分は明らかとなっているものの株券の発行がない場合において、その持分を譲渡した場合は、課税売上げになりますか。 ①　譲渡に係る事務所等の所在地が国内である場合	 非課税です

項　目	判定事例	課否判定
	解説 　有価証券の譲渡等は、その譲渡等が行われる時においてその有価証券が所在していた場所により判定します。 　株券の発行がない株式については、所在場所がないことから、資産の所在が明らかでないものに該当し、譲渡等に係る事務所等の所在地により判定することとなります。 　したがって、株式の譲渡に係る事務所等の所在地が国内である場合は非課税となり、課税売上割合の計算上、分母に譲渡対価の5％を含めます。	
	②　譲渡に係る事務所等の所在地が国外である場合 **解説** ①の解説を参照してください。	 不課税です
国内事業者が国外事業者に対して行う「電気通信利用役務の提供」	国内事業者が国外事業者に対して次の取引を行った場合は、課税売上げになりますか。 ①　インターネット等を通じて行われる電子書籍・電子新聞・音楽・映像・ソフトウエア（ゲームなどの様々なアプリケーションを含みます。）の配信	 不課税です
	②　顧客に、クラウド上のソフトウエアやデータベースを利用させるサービス	 不課税です
	③　顧客に、クラウド上で顧客の電子データの保存を行う場所の提供を行うサービス	 不課税です
	④　インターネット等を通じた広告の配信・掲載	 不課税です
	⑤　インターネット上のショッピングサイト・オークションサイトを利用させるサービス（商品の掲載料金等）	 不課税です

項　目	判定事例	課否判定
	⑥　インターネット上でゲームソフト等を販売する場所を利用させるサービス	不課税です
	⑦　インターネットを介して行う宿泊予約、飲食店予約サイト（宿泊施設、飲食店等を経営する事業者から掲載料等を徴するもの）	不課税です
	⑧　インターネットを介して行う英会話教室	不課税です
	解説 ①〜⑧の取引は、「電気通信利用役務の提供」に該当します。	

【輸出取引】

項　目	判定事例	課否判定
輸出として行われる資産の譲渡等	本邦から輸出（内国貨物を外国に向けて送り出すこと）として行われる資産の譲渡又は貸付けは、課税売上げになりますか。 輸出取引であることの証明が必要です。	免税です
輸出用の商品の国内での販売	国内で製造した商品を輸出用として国内の事業者へ販売する場合は、課税売上げになりますか。	なります
輸出用の商品を製造するための下請加工	最終的に輸出される商品を製造するための加工を下請けする場合は、課税売上げになりますか。	なります
輸出業者に対する資産の譲渡等	輸出取引のみを行う事業者に対する国内での商品等の販売は、課税売上げになりますか。	なります
保税工場で製造した製品の譲渡	内国貨物のみを原材料として保税工場で製造された製品を次により譲渡した場合は、課税売上げになりますか。	

項　目	判定事例	課否判定
	①　国内の商社に譲渡した場合 **解説** 　内国貨物のみを原材料として製造された製品は内国貨物に該当します。	◯ なります
	②　保税工場で製造された製品を購入し、国外の事業者に譲渡する場合	✕ 免税です
保税地域で加工した製品の輸出	保税地域で加工した製品を輸出する場合は、課税売上げになりますか。	✕ 免税です
外国貨物である部品の内国貨物への取付け	保税作業として外国貨物である部品等を内国貨物で製造された製品に取り付けてできた製品を国内の商社に譲渡し、商社が積戻申告をする場合、商社に対する譲渡は課税売上げになりますか。 **解説** 　製品全体が外国貨物とみなされ、外国貨物の譲渡に該当しますから、輸出類似取引として免税となります。	✕ 免税です
外国貨物の譲渡等	外国貨物（輸出の許可を受けた貨物及び外国から本邦に到着した貨物で輸入が許可される前のもの）の譲渡又は貸付けは、課税売上げになりますか。	✕ 免税です
保税地域で購入した外国貨物の譲渡	国内の商社が、国内の事業者から外国貨物を保税地域で購入し、国外の事業者に譲渡した場合は、課税売上げになりますか。 **解説** 　この場合、商社の仕入れは免税取引に係るものですから、課税仕入れとはなりません。	✕ 免税です
国際輸送	国際輸送（旅客又は貨物の出発地若しくは発送地又は到着地のいずれかが日本であるもの）は、課税売上げになりますか。	✕ 免税です
国外間の輸送	国外間の輸送（旅客又は貨物の出発地若しくは発送地及び到着地のいずれも国外であるもの）は、課税売上げになりますか。	✕ 不課税です

【第１編】　第２章　消費税の課否判定表──損益計算書科目【売上・収益編】

項　目	判定事例	課否判定
国際航空運賃	国際航空運賃の一部として、国内輸送区間を含めた国際航空券を発行する場合の国内輸送区間に係る部分は、課税売上げになりますか。 **注意** ただし、次の要件が全て満たされた場合です。 ①　契約において国内輸送に係る部分が国際輸送の一環であることが明らかにされていること ②　国内間の移動のための輸送と国内と国外との間の移動のための輸送が連続して行われるものとして、国内乗継地又は寄港地への到着から国外への出発までの時間が定期路線時刻表上で24時間以内であること	 免税です
外航船舶等の譲渡等	外航船舶等（船舶又は航空機）の譲渡若しくは貸付け又は修理で船舶運航事業者等（船舶運航事業、船舶貸渡業又は航空運送事業を営む者）に対して行われるものは、課税売上げになりますか。 **参考** 外航船舶等に該当するかどうかの判定は、その船舶又は航空機が、「専ら国際輸送の用に供されるかどうか、また、専ら外国間の輸送の用に供されるかどうか」によって行います。 なお、「専ら」かどうかの判定は「就航割合が80％以上であるかどうか」により行うことになります。	 免税です
国際輸送用コンテナーの譲渡等	専ら国際輸送又は外国間輸送の用に供されるコンテナーの譲渡、貸付け又は修理で船舶運航事業者等に対して行われるものは、課税売上げになりますか。	 免税です
外航船舶等の入港料等	外航船舶等の入港料、水先料、綱取放料、水域施設利用料、けい留施設利用料等、着陸料、格納庫使用料、夜間照明料、停留料、航行援助施設利用料、いわゆる空港ハンドリング料等で船舶運行事業者等に対して行われるものは、課税売上げになりますか。	 免税です
外国の漁船の岸壁使用料	外国の漁船から徴収する岸壁使用料は、課税売上げになりますか。 **解説** 港湾施設利用料が輸出免税となるのは、旅客、貨物の輸送の用に供される外航船舶等（漁船はこれに該当しません。）で、船舶運行事業者等（漁業者はこれに該当しません。）に対するものに限られます。	 なります

項　目	判定事例	課否判定
国際線空港施設の提供	出国待合室、コンコース、固定橋、旅客搭乗橋及びタラップの使用料は、課税売上げになりますか。	○ なります
外航船舶等の外貿埠頭貸付料等	外航船舶等の外貿埠頭貸付料、船舶の廃油処理料、廃棄物処理料、清掃料、曳船料等は、課税売上げになりますか。	✕ 免税です
外国貨物の荷役等	外国貨物の荷役、運送、保管、検数、鑑定その他これらに類する外国貨物に係る役務の提供は、課税売上げになりますか。	✕ 免税です
保税地域間の貨物輸送	次の保税地域間の貨物の輸送は、課税売上げになりますか。 ①　外国貨物	✕ 免税です
	②　外国貨物以外のもの	○ なります
国際郵便等	国際郵便（差出地又は配達地が日本であるもの）、国際信書便（差出地又は配達地が日本であるもの）又は国際通信（発信地又は受信地が日本であるもの）は、課税売上げになりますか。	✕ 免税です
非居住者に対する無体財産権の譲渡等	鉱業権、工業所有権、著作権等の無体財産権の譲渡又は貸付けで、非居住者に対して行われるものは、課税売上げになりますか。	✕ 免税です

【第1編　第2章　消費税の課否判定表──損益計算書科目【売上・収益編】

項　目	判　定　事　例	課　否　判　定

非居住者に対する無体財産権の譲渡又は貸付けは、輸出取引等に該当します。
　なお、非居住者とは、外国為替及び外国貿易法第6条第1項第6号に規定されており、具体的には、次の表のとおりです（昭55.11.29付蔵国第4672号「外国為替法令の解釈及び運用について」参照）。

【居住者及び非居住者の範囲】

本邦人	① 居住者	イ	本邦人は、原則として居住者 （本邦人は原則として居住者に該当しますが、本表下段②欄のイからニに掲げる者は非居住者に該当となります。）
		ロ	本邦の在外公館に勤務する目的で出国し外国に滞在する者
	② 非居住者	イ	外国にある事務所（本邦法人の海外支店等、現地法人、駐在員事務所及び国際機関を含みます。）に勤務する目的で出国し外国に滞在する者
		ロ	2年以上外国に滞在する目的で出国し外国に滞在する者
		ハ	イ及びロに掲げる者のほか、本邦出国後、外国に2年以上滞在するに至った者
		ニ	イからハまでに掲げる者で、事務連絡、休暇等のために一時帰国し、その滞在期間が6か月未満の者
外国人	③ 非居住者	イ	外国人は、原則として非居住者 （外国人は原則として非居住者に該当しますが、本表下段④欄のイ及びロに掲げる者は居住者に該当となります。）
		ロ	外国政府又は国際機関の公務を帯びる者
		ハ	外交官又は領事館及びこれらの随員又は使用人 （ただし、外国において任命又は雇用された者に限ります。）
		ニ	アメリカ合衆国軍隊、アメリカ合衆国軍隊の構成員、軍属、これらの者の家族、軍事用販売機関等、軍事郵便局、軍用銀行施設及び契約者等
		ホ	国際連合の軍隊、国際連合の軍隊の構成員、軍属、家族、軍人用販売機関等及び軍事郵便局等
	④ 居住者	イ	本邦内にある事務所に勤務する者
		ロ	本邦に入国後6か月以上経過するに至った者
法人等	⑤ 居住者	イ	本邦内に主たる事務所を有する法人等
		ロ	外国の法人等の本邦にある支店、出張所その他の事務所
		ハ	本邦の在外公館
	⑥ 非居住者	イ	本邦の法人等の外国にある支店、出張所その他の事務所
		ロ	本邦にある外国政府の公館（使節団を含む。）及び本邦にある国際機関

（注）　①から④欄の居住者又は非居住者と同居し、かつ、その生計費が専らその居住者又は非居住者に負担されている家族の居住性については、その居住者又は非居住者の居住性の判定に従うことになります。

外国の出版社に設定する出版権の権利料	日本在住の日本人作家が、自己の著作に関して外国の出版社に対して出版権を設定した場合の権利料は、課税売上げになりますか。	 免税です
ノウハウの提供	非居住者にノウハウを提供する場合の対価は、課税売上げになりますか。	 免税です

項　目	判定事例	課否判定
非居住者（国内に支店等を有するもの）に対する役務の提供	国内に支店又は出張所等を有する非居住者に対する役務の提供は、課税売上げになりますか。 **注意** 　ただし、次の要件を全て満たす場合は輸出免税の対象となります。 　① 役務の提供が非居住者の国外の本店等との直接取引であり、国内の支店等はこの役務の提供に直接的にも間接的にもかかわっていないこと 　② 役務の提供を受ける非居住者の国内の支店等の業務は、この役務の提供に係る業務と同種、あるいは関連する業務でないこと 　③ 役務の提供が、次のもの以外のものであること 　　イ　国内に所在する資産に係る運送又は保管 　　ロ　国内における飲食又は宿泊 　　ハ　イ及びロに準ずるもので、国内において直接便益を享受するもの	○ なります
非居住者に対する役務の提供	非居住者に対して行う次の役務の提供は、課税売上げになりますか。 ① 国内に所在する資産（外国貨物を除きます。）に係る運送や保管 **解説** 　非居住者に対する役務の提供で輸出免税の対象となるのは、次のイ〜ハ以外のものとされています。 　イ　国内に所在する資産に係る運送又は保管 　ロ　国内における飲食又は宿泊 　ハ　イ及びロに準ずるもので、国内において直接便益を享受するもの	
	② 国内に所在する不動産の管理や修理 **解説** 　①の解説を参照してください。	
	③ 建物の建築請負 **解説** 　①の解説を参照してください。	
	④ 電車、バス、タクシー等による旅客の輸送 **解説** 　①の解説を参照してください。	

項　目	判定事例	課否判定
	⑤　国内における飲食又は宿泊 **解説** ①の解説を参照してください。	◯ なります
	⑥　理容又は美容 **解説** ①の解説を参照してください。	◯ なります
	⑦　医療又は療養 **解説** ①の解説を参照してください。	◯ なります
	⑧　劇場、映画館等の興行場における観劇等の役務の提供 **解説** ①の解説を参照してください。	◯ なります
	⑨　国内間の電話、郵便 **解説** ①の解説を参照してください。	◯ なります
	⑩　日本語学校等における語学教育等に係る役務の提供（非課税となるものを除きます。） **解説** ①の解説を参照してください。	◯ なります
外国公館等に対する役務の提供	事業者が国内において外国公館等に対して役務の提供を行った場合は、課税売上げになりますか。 **注意** ただし、次の要件が全て満たされた場合です。 　なお、相互条件により、国ごとに免税範囲は異なります。 　①　外国公館等が、外務省大臣官房儀典括官が発行した証明書（免税カード等）の交付を受けていること 　②　課税事業者が、国税庁長官の外国公館等免税店舗の指定を受けていること	✕ 免税です

項　目	判定事例	課否判定
非居住者から収受する有価証券の保管料等	非居住者から有価証券の管理や受取利子等の代理受領等を委託された場合に収受する、次の保管料等は課税売上げになりますか。 ① 有価証券の保管料及び引渡手数料	○ なります
	② 有価証券の名義書換手数料及び各種申請に係る事務代行手数料で、契約上この部分の金額が区分されている場合 **参考** 契約で、保管料等と名義書換手数料等が区分されていない場合は、その全体が課税売上げとなります。	✕ 免税です
外国人旅行者の宿泊代金等	外国人旅行者が、日本のホテルに宿泊する際の宿泊代金や飲食する際の飲食代金は、課税売上げになりますか。	○ なります
外国企業に対する役務の提供	国内に事務所を有しない外国企業（非居住者）からの依頼を受けて行う、次の役務の提供は課税売上げになりますか。 ① 国内の事業者が国内代理店として行う事務	✕ 免税です
	② 新聞社、雑誌社等が行う広告の掲載	✕ 免税です
	③ 弁護士が行う国内における特許権等に関する訴訟事務等	✕ 免税です
保税地域での加工賃	保税地域で加工して輸出する製品を加工する際に受け取る加工賃は課税売上げになりますか。	○ なります

【第1編】　第2章　消費税の課否判定表──損益計算書科目【売上・収益編】

項 目	判 定 事 例	課 否 判 定
	解説 保税地域内の加工行為は国内取引に該当し、かつ、輸出取引等にも該当しませんから、その加工賃は課税売上げになります。	
国内市場の情報提供	国内の事業者が外国の取引先に対して国内市場の情報を提供した場合は、課税売上げになりますか。 **解説** 情報の提供に係る役務の提供については、情報の提供に係る事務所、事業所等の所在地が国内にある場合には国内取引に該当しますが、その情報の提供が非居住者に対して行われる場合には、輸出免税の対象になります。	✕ 免税です
海外市場の情報提供	国内の事業者が国内の輸出業者に対して海外市場の情報を提供した場合は、課税売上げになりますか。	◯ なります
ノウハウの譲渡	ノウハウの譲渡又は貸付けに伴い非居住者に対して技術指導等を行う場合は、課税売上げになりますか。	✕ 免税です
非居住者が依頼する国内の市場調査	経営コンサルタントが国内に支店を有する非居住者の依頼により行う国内の市場調査において、契約の取り交わしは外国の本社と直接行い、調査報告書も本社に対して直接提出する場合は、課税売上げになりますか。 **解説** 非居住者に対する役務の提供に該当し、国内において直接便益を享受しないものは輸出免税の対象となります。	✕ 免税です
弁護士の非居住者に対する法律相談	弁護士が国内に支店を有する非居住者に対して行う法律相談で、直接外国の本社から依頼を受け、日本における法律上の取扱いについてまとめ、外国の本社に対して報告書を提出する場合、課税売上げになりますか。	✕ 免税です

項　目	判定事例	課否判定
	国内の支店を通じて契約締結交渉、事務手続、代金の支払等を行っている場合は国内取引に該当し、課税の対象になります。	
外国企業からの広告依頼	国内に支店等を有しない外国企業からの依頼により、国内で発行する雑誌に外国企業の商品の広告を掲載する契約を行った場合の、その契約料は、課税売上げになりますか。 解説 　広告掲載により受ける便益は、商品販売促進の利益であり、国外に帰することになりますから、輸出免税の対象となります。	免税です
出国に際して携帯する物品	居住者が海外旅行のために出国するに際し、旅行先の贈答品として物品を購入した場合は、課税売上げになりますか。 解説 　海外旅行等のため出国する居住者が、輸出物品販売場で購入し渡航先において贈答用に供するものとして出国に際して携帯する物品で、帰国若しくは再入国に際して携帯しないことが明らかなもの又は渡航先においてその海外旅行者等が2年以上使用若しくは消費することが明らかなもの（その物品の1個当たりの対価の額が1万円を超える場合に限ります。）については、一定の手続きの下に消費税が免除されます。	免税です
【土地等の譲渡】……原則として非課税です。		
土地の定着物	庭木、石垣、庭園など土地の定着物を土地と一体として譲渡した場合の、その定着物の譲渡代金は、課税売上げになりますか。	非課税です
土地の上に存する権利	地上権、土地の賃借権、地役権、永小作権など土地そのものを使用収益する権利を譲渡した場合は、課税売上げになりますか。	非課税です
鉱業権、土石採取権、温泉利用権等	鉱業権、土石採取権、温泉利用権や土地を目的とした抵当権など土地の使用収益に関する権利ではないものを譲渡した場合は、課税売上げになりますか。	なります

項　目	判定事例	課否判定
土地の賃貸借の形態で行われる土石等の採取	採石法又は砂利採取法の規定による認可を受けて行われるべき土石又は砂利の採取を、土地の賃貸借の形態で行っている場合の賃貸料は、課税売上げになりますか。	○ なります
土地建物等の一括譲渡	土地と建物を一括で譲渡した場合の、その建物部分の譲渡代金は、課税売上げになりますか。 解説 　この場合、それぞれの対価の額を合理的に区分する必要があります。 　なお、合理的な区分の方法としては、例えば次の方法があります。 　① 譲渡時における土地及び建物の時価の比率によりあん分する方法 　② 相続税評価額や固定資産税評価額を基にあん分する方法 　③ 土地及び建物の原価（取得費、造成費、一般管理費等）を基にあん分する方法	○ なります
掘りこみガレージ	土地、建物と一体で譲渡した掘りこみガレージ（土地を掘削してコンクリートの壁、床、天井を設置し、シャッターを取り付けた地下ガレージで住宅に付帯するもの）の譲渡代金は、課税売上げになりますか。	○ なります
土地仲介手数料	土地の売買又は貸付け等に関する仲介手数料は、課税売上げになりますか。	○ なります

【土地等の貸付け】……原則として非課税です。

項　目	判定事例	課否判定
土地の短期貸付け	貸付期間が1か月に満たない土地等の賃貸料は、課税売上げになりますか。	○ なります
土地の短期貸付け（期間の変更）	契約期間が1か月に満たない土地の貸付けであれば、その後の事情により貸付期間が1か月を超えた場合でも、課税売上げになりますか。	○ なります
	契約期間が1か月を超える土地の貸付けで、その後の事情により貸付期間が1か月未満となった場合は、課税売上げになりますか。	非課税です

項　目	判定事例	課否判定
土地の短期貸付け（曜日限定の場合）	土地を日曜日だけ１年間貸し付ける場合の賃貸料は、課税売上げになりますか。	○ なります
土地付建物の貸付け	土地付建物を貸し付けた場合は、たとえ土地と建物の賃貸料を合理的に区分していても、全体が課税売上げになりますか。 解説 　建物等の施設の利用が土地の使用を伴うことになるとしても、その土地の使用は土地の貸付けに含まれません。	○ なります
施設の貸付け	駐車場、野球場、プール、テニスコートなどの施設の利用料の中に土地の利用料が含まれている場合でも、全体が課税売上げになりますか。	○ なります
駐車場の貸付け	更地にフェンス等を設け、駐車場として貸し付けた場合は、課税売上げになりますか。	○ なります
更地の貸付け	貸し付けた更地を賃借人が駐車場として使用している場合は、課税売上げになりますか。	× 非課税です
電柱使用料	次の電柱使用料について、課税売上げになりますか。 ①　道路又は土地の使用許可に基づく電柱使用料 解説 　国又は地方公共団体等の有する道路又土地の使用許可に基づく電柱使用料は、いわば電柱の敷地である土地の使用料ともいうべきものですから、消費税は非課税となります。	× 非課税です
	②　電柱に広告物を取り付ける場合に収受する電柱使用料 解説 　広告等を取り付けるために電柱を使用させる場合に収受する「電柱使用料」は、電柱の一部の貸付けの対価であり、土地の貸付けには該当しませんから、課税の対象となります。	○ なります

【第１編】第２章　消費税の課否判定表──損益計算書科目【売上・収益編】

43

項　目	判定事例	課否判定
墓地永代使用料	墓地の永代使用料や霊園墓地における地中納骨施設の貸付料は、施設の貸付けとして課税売上げになりますか。	 非課税です
借地権の更新料等	借地権の更新料、更改料及び名義書換料は、課税売上げになりますか。	 非課税です

【有価証券等及び支払手段の譲渡】……原則として非課税です。

項　目	判定事例	課否判定
有価証券等の譲渡	国債証券、地方債証券など有価証券等を売却した場合は課税売上げになりますか。	 非課税です

> 一定の有価証券等の譲渡については、課税売上割合の計算上、分母に譲渡対価の5％を含めます。

項　目	判定事例	課否判定
船荷証券、貨物引換証、倉庫証券等の譲渡	船荷証券、貨物引換証、倉庫証券又は株式若しくは預託の形態によるゴルフ会員権を売却した場合は、課税売上げになりますか。	 なります

解説
　船荷証券、貨物引換証、倉庫証券の譲渡が行われた場合には、その船荷証券等に表彰された資産の譲渡が行われたことになります。
　なお、譲渡の時においてその船荷証券等に表彰された資産の所在地が国外である場合には不課税となります。
　船荷証券の譲渡　28ページ参照

項　目	判定事例	課否判定
償還日前の債権譲渡	償還日前に債権を譲渡した場合は、課税売上げになりますか。	 非課税です
株券の発行	株券を発行した場合の譲渡代金は、課税売上げになりますか。	 不課税です

項　目	判 定 事 例	課 否 判 定
社債償還益	社債を株式に転換する際の償還益は、課税売上げになりますか。	✕ 非課税です
信用取引による有価証券の譲渡	信用取引により有価証券を譲渡した場合は、課税売上げになりますか。	✕ 非課税です

> **参考**
> 取引の決済を行った日が譲渡の時期となります。
> 有価証券の譲渡については、課税売上割合の計算上、分母に譲渡対価の５％を含めます。

項　目	判 定 事 例	課 否 判 定
暗号資産の譲渡	暗号資産の譲渡は、課税売上げになりますか。	✕ 非課税です
預貯金の譲渡	預貯金の譲渡は、課税売上げになりますか。	✕ 非課税です
受取手形の譲渡	受取手形の譲渡は、課税売上げになりますか。	✕ 非課税です

> **参考**
> 約束手形、銀行券、政府紙幣、小切手など支払手段の譲渡については、課税売上割合の計算上、分母の金額には含めません。

項　目	判 定 事 例	課 否 判 定
売掛金の譲渡	売掛金の譲渡は、課税売上げになりますか。	✕ 非課税です

> **参考**
> 売掛金など資産の譲渡等の対価として取得した金銭債権の譲渡については、売上げの二重計上を排除するため、課税売上割合の計算上、分母の金額には含めません。

項　目	判 定 事 例	課 否 判 定
ファクタリング取引の手数料等	金銭債権を買い取った際、売却した者から受け取る割引料は、課税売上げになりますか。	✕ 非課税です

【第１編】第２章　消費税の課否判定表──損益計算書科目【売上・収益編】

項目	判定事例	課否判定
手形の割引料	持込時から支払時までの期間に応じ、一定の割引率に基づいて計算した割引料を収受する場合は、課税売上げになりますか。	非課税です
手形の取立依頼に基づく手数料等	手形の取立依頼に基づいて取立てを行う際に受け取る次の手数料は、課税売上げになりますか。 ① 手形法上の遡及権を行使できる場合	なります
	② 手形法上の遡及権を行使しないこととされている場合 解説 手形法上の遡及権を行使しないこととされている場合、金銭債権の譲受けに該当し、非課税となります。	非課税です
収集品である硬貨の販売	チケットショップで、収集品として硬貨を販売する場合は、課税売上げになりますか。	なります
収集品である外国紙幣の販売	チケットショップで、収集品として外国紙幣を販売する場合は、課税売上げになりますか。	なります
電子マネー（サーバー型前払式支払手段）の譲渡	電子マネー（サーバー型前払式支払手段）を譲渡した場合は、課税売上げになりますか。 参考 電子マネー（サーバー型前払式支払手段）とは、利用者が店舗等で交付又はインターネットからID番号等を入力することにより、サーバーに記録されている金額の範囲内で商品や音楽配信などのサービスの提供を受けることができる仕組みになっているものをいいます。	非課税です

【利子を対価とする貸付金等】……原則として非課税です。

| 国債、地方債、預貯金等の利子 | 国債、地方債、社債、預金、貯金に係る受取利子は、課税売上げになりますか。 | 非課税です |

項　目	判定事例	課否判定
学校債	学校が生徒の父母から募集する運営資金確保のための次の学校債は、課税売上げになりますか。	
	①　学校債の対価としての利子は学校の運営費用に充て、生徒の父母には支払われない場合 **解説** 　学校債は、学校が生徒の父母から金銭の貸付けを受けた証拠書類として交付するものですから、この場合の金銭の授受は資産の貸付けに該当しますが、その対価である利子は、一般的には学校の運営資金に充てられ、生徒の父母には支払われませんので、消費税の課税の対象にはなりません。	✕ 不課税です
	②　学校債の対価としての利子を生徒の父母に支払う場合	✕ 非課税です
貸付金の利子	取引先への貸付金に係る受取利子は、課税売上げになりますか。	✕ 非課税です
合同運用信託、投資信託等の収益の分配金	合同運用信託、投資信託等に係る収益の分配金は、課税売上げになりますか。	✕ 非課税です
保険料	生命保険、損害保険等の保険料として受け取る金銭は、課税売上げになりますか。	✕ 非課税です
出資者の持分の譲渡	民法上の組合に対する出資持分を譲渡する場合は、課税売上げになりますか。	✕ 非課税です

【郵便切手類の譲渡】……原則として非課税です。

項　目	判定事例	課否判定
郵便切手類の販売	次の郵便切手類（郵便切手、郵便葉書、郵便書簡、郵便に関する料金の支払用カード）の販売は、課税売上げになりますか。	

【第1編】第2章　消費税の課否判定表──損益計算書科目【売上・収益編】

項　目	判　定　事　例	課　否　判　定
	①　日本郵便㈱及び郵便切手類販売所等一定の場所で行うもの	✕ 非課税です
	②　チケットショップなど日本郵便㈱及び郵便切手類販売所等以外の場所で行うもの	◯ なります
	③　会社が余分に購入した郵便切手類をチケットショップや他の事業者等に譲渡した場合	◯ なります
郵便切手を冊子に収めたもの等の販売	郵便切手類販売所等に関する法律第１条《定義》に規定する郵便切手を保存用の冊子に収めたものその他郵便に関する料金を示す証書に関し周知し、又は啓発を図るためのもの及び日本郵便㈱が販売する封筒その他郵便の利用上必要なものの販売は、郵便切手売りさばき所等一定の場所での販売であっても、課税売上げになりますか。	◯ なります
印紙の販売	次の印紙の販売は、課税売上げになりますか。	
	①　日本郵便㈱及び印紙売りさばき所等一定の場所で行うもの	✕ 非課税です
	②　チケットショップなど（印紙売りさばき所等一定の場所以外）で行うもの	◯ なります
	③　会社が余分に購入した印紙をチケットショップや他の事業者等に譲渡した場合	◯ なります
証紙の販売	次の証紙の販売は、課税売上げになりますか。	
	①　地方公共団体又は売りさばき人等一定の場所で行うもの	✕ 非課税です

項　目	判定事例	課否判定
	② チケットショップなど（地方公共団体等一定の場所以外）で行うもの	○ なります
	③ 会社が余分に購入した証紙をチケットショップや他の事業者等に譲渡した場合	○ なります
図柄付郵便葉書の販売	郵便葉書に図柄等を印刷して、又は写真等をプリントして販売する場合は、郵便葉書代を含んだ全額が課税売上げになりますか。	○ なります
図柄付郵便葉書の販売（葉書の持込みによるもの）	注文者が持ち込んだ郵便葉書に図柄等を印刷して、又は写真等をプリントして販売する場合は、印刷代金又はプリント代金のみが課税売上げになりますか。	○ なります

【物品切手等の譲渡】……原則として非課税です。

項　目	判定事例	課否判定
商品券、ビール券等物品切手等の発行	百貨店、ビール会社などの事業者が、自社の商品券やビール券など物品切手等を発行する際に受け取る物品切手の代金は、課税売上げになりますか。	× 不課税です

> 解説
> 物品切手等の発行は、物品の給付請求権等を表彰する証書の発行行為ですので、「資産の譲渡」には該当せず、不課税取引となります。

〈物品切手の範囲〉
　商品券、ビール券、プリペイドカード、図書カード、ワイシャツ仕立券、清酒券、食事券、旅行券、観劇・映画・遊園地等の前売り入場券、JR回数券、国内（海外）航空券など

項　目	判定事例	課否判定
商品券、ビール券等物品切手等の販売	百貨店の商品券を購入した事業者が、消費者等に商品券を販売する場合の販売代金は、課税売上げになりますか。	× 非課税です

項　目	判定事例	課否判定
	ビールの卸売業者や小売業者が、小売業者や消費者などにビール券を販売する場合の販売代金は、課税売上げになりますか。	✕ 非課税です
	チケットショップが商品券やビール券などを販売する場合の販売代金は、課税売上げになりますか。	✕ 非課税です
物品切手等の受託販売代金	物品切手等を受託販売した際、受託者が購入者から受け取る販売代金は、課税売上げになりますか。	✕ 不課税です
物品切手等の受託販売手数料	物品切手等を受託販売した際、受託者が委託者から受け取る販売手数料は、課税売上げになりますか。	◯ なります
株主優待券、社員割引券等の譲渡	株主優待券や社員割引券などのように、その交付によって対価の額の支払債務の一部が免除されるが、それと引換えに一定の物品の給付等を受けないものを譲渡した場合の譲渡代金は、課税売上げになりますか。	◯ なります
プリペイドカードの譲渡	プリペイドカードなどそれを交付することによって、一定の役務の提供が受けられる券類を譲渡した場合は、課税売上げになりますか。	✕ 非課税です
プレミア付きプリペイドカード	チケットショップでプリペイドカードなどの物品切手類を額面より高いプレミア付きで譲渡した場合は、課税売上げになりますか。	✕ 非課税です
プリペイドカードの印刷費	印刷業者がフリーデザインプリペイドカードなどの物品切手類に写真等の印刷を受注し、プリペイドカード代と印刷代を区分して請求している場合の当該印刷代は、課税売上げになりますか。	◯ なります
商品券の引換え	商品券を発行した百貨店が、その商品券と引換えに商品を引き渡す場合の商品代金（商品券の券面金額）は、課税売上げになりますか。	◯ なります

項　目	判定事例	課否判定
ビール券の引換え	ビールの小売業者が消費者に対して、ビール券と引換えにビールを引き渡す場合のビール代金（ビール券の券面金額）は、課税売上げになりますか。	○ なります

【医療の給付等】……原則として非課税です。

項　目	判定事例	課否判定
非課税となる医療等	公的な医療保障制度に係る医療費は、課税売上げになりますか。	× 非課税です
差額ベッド代	療養を受ける者の希望により、特別病室の提供を行った場合の患者が支払う差額部分（差額ベッド代）は、課税売上げになりますか。	○ なります
自由診療	美容整形、歯科のメタルボンド、金属床義歯等自由診療に係る医療費は、課税売上げになりますか。	○ なります
診断書等の作成料	診断書、医者の意見書等の作成料は、課税売上げになりますか。	○ なります
予防接種又は新型インフルエンザ予防接種、健康診断	予防接種又は新型インフルエンザ予防接種や健康診断（人間ドック）に係る医療費は、課税売上げになりますか。	○ なります
資格証明書により受ける診療	国民健康保険料の滞納等により、保険証の交付を受けられない者に対して、資格証明書により行う診療に係る医療費は、課税売上げになりますか。	× 非課税です

> **解説**
> 保険証の交付を受けられない者の自己負担による診療であっても、国民健康保険法の規定に基づく診療であれば非課税となります。

項　目	判定事例	課否判定
健康保険法に基づく一部負担金	健康保険法に基づく医療費のうち、被保険者が負担する一部負担金は、課税売上げになりますか。	× 非課税です

項　目	判定事例	課否判定
非居住者に対する医療	外国人旅行者が国内滞在する期間中に病院を利用した場合の医療費は、課税売上げになりますか。	なります
交通事故の被害者に対する療養費	自動車事故における被害者に対する次の療養費は、課税売上げになりますか。	
	①　自動車損害賠償責任保険の支払を受けて行われる療養費（任意保険や自費で支払われるものを含みます。）	非課税です
	②　医療機関が必要と認めた療養費（おむつ代、松葉杖の賃貸料、付添寝具料、付添賄料等を含みます。）	非課税です
	③　自由診療に係る療養費（自動車事故による療養であることが記録により証明されているもの）	非課税です
	④　療養を受ける者の希望により、特別病室の提供を行った場合の患者が支払う差額部分（差額ベッド代）	なります
	このほか、次の療養費等が課税売上げになります。 イ　他人からの損害賠償額の支払を受ける立場にない、自らの運転による自動車事故の受傷者に対する自由診療として行われる療養（ただし、その事故の同乗者で、運転者などから損害賠償額の支払を受けるべき立場にある者に対する療養は非課税です。） ロ　診断書及び医師の意見書等の作成料	
医薬品等の販売	公的な医療保障制度に係る療養、医療、施設医療の一環として病院又は診療所が受領する医薬品代（投薬）、治療材料費（コルセット、ギブス床等）は、課税売上げになりますか。	非課税です
薬局における医薬品の販売	薬局が医師の処方箋に基づき医療行為の一環として患者に行う投薬に係る代金は、その医療行為が健康保険法等の療養の給付であっても、課税売上げになりますか。	非課税です

項　目	判　定　事　例	課否判定
	薬局が医師の処方箋に基づかずに販売する風邪薬等の販売代金は、課税売上げになりますか。	▶ ○ なります
保険医療の一環として行われる酸素の販売	医薬品販売業者が、医師の指示に従って保険医療の対象となる酸素を在宅患者に販売し、その代金を医師に請求している場合の販売代金は、課税売上げになりますか。	▶ ○ なります
【社会福祉事業等】……原則として非課税です。		
社会福祉事業（介護サービス）	介護保険法の規定に基づく居宅介護サービスの支給に係る居宅サービス、施設介護サービス費の支給に係る施設サービス等の代金は、課税売上げになりますか。	▶ ✕ 非課税です
	施設サービスのうち、特別の居室の提供、特別な食事の提供に係る代金は、課税売上げになりますか。	▶ ○ なります
特別養護老人ホームの経営	老人福祉法の特別養護老人ホームを経営する事業に係る収入は、課税売上げになりますか。	▶ ✕ 非課税です
授産施設における授産活動	授産施設を経営する事業において、授産活動としての作業に基づき行われる資産の譲渡等の対価は、課税売上げになりますか。	▶ ○ なります
社会福祉事業に類する事業	身体に障害のある18歳に満たない者等に対して行う、居宅における入浴、排せつ、食事等の介護その他の日常生活を営むのに必要な便宜を供与する事業等に係る収入は、課税売上げになりますか。	▶ ✕ 非課税です
児童居宅介護事業の経営	児童福祉法の児童居宅介護事業を経営する事業に係る収入は、課税売上げになりますか。	▶ ✕ 非課税です
児童福祉法に基づかない保育所	次の児童福祉法に基づかないで設置される、いわゆる無認可保育所の保育料は、課税売上げになりますか。	

【第1編】第2章　消費税の課否判定表──損益計算書科目【売上・収益編】

項　目	判 定 事 例	課 否 判 定
	①　都道府県知事等から、指導監督基準を満たす旨の証明書の交付を受けている無認可保育所	✕ 非課税です
	②　①以外の無認可保育所	〇 なります
社会福祉事業から除かれる保育所	児童福祉法に基づいて設置される保育所のうち、社会福祉法第2条第4項第4号により、社会福祉事業から除かれる保育所の保育料は、課税売上げになりますか。	✕ 非課税です
産後ケア事業	市町村が保健指導等の対象者に対して産後ケアサービスを行い、利用料を徴収する場合、その利用料は、課税売上げになりますか。	✕ 非課税です

【助産関係】……原則として非課税です。		
妊娠から出産後の検査	医師又は助産師等が行う妊娠しているかどうかの検査から、出産後の入院及び検査までの間に必要な役務の提供に係る代金は、課税売上げになりますか。	✕ 非課税です
人工妊娠中絶費用	医師又は助産師等が行う人工妊娠中絶に係る代金は、課税売上げになりますか。	〇 なります
助産に係る差額ベッド料（妊娠中のもの）	妊娠中毒症や切迫流産等のため、産婦人科医が必要と認めた妊娠中の入院について受領した差額ベッド料は、課税売上げになりますか。	✕ 非課税です

> **解説**
> 助産に係る資産の譲渡等の差額ベッド料等については、消費税法別表第二第6号に規定する「医療の給付等」のように非課税規定から除外されていません。

助産に係る差額ベッド料（出産後のもの）	異常分娩のため産婦人科医が必要と認めた出産後の入院について受領した差額ベッド料は、課税売上げになりますか。	✕ 非課税です

項　目	判定事例	課否判定

> **解説**
> 　出産後の入院のうち、産婦人科医が必要と認めた入院等については、出産の日から１か月を限度として、助産に係る資産の譲渡等に該当します。

【埋葬・火葬関係】……原則として非課税です。

項　目	判定事例	課否判定
埋葬、火葬	埋葬（土葬）及び火葬料は、課税売上げになりますか。	▶ ✕ 非課税です
祭壇費用等	葬儀社等が受け取る祭壇等の費用は、課税売上げになりますか。	▶ ◯ なります
火葬料等を含む葬儀費用	葬儀社等が受け取る次の埋葬料、火葬料は、課税売上げになりますか。 ①　火葬料等も含めた全額を葬儀料金として収受している場合	▶ ◯ なります
	②　火葬料等を葬儀代金と区分して領収し、預り金、仮受金等として処理している場合	▶ ✕ 不課税です
埋蔵料、収蔵料等	火葬した遺骨を墳墓、納骨堂に納める対価としての料金である埋蔵料、収蔵料等は、課税売上げになりますか。	▶ ◯ なります
火葬許可手数料等	火葬（埋葬）を許可する際に収受する火葬（埋葬）許可手数料は、課税売上げになりますか。 **解説** 行政手数料として非課税となります。	▶ ✕ 非課税です
お布施、戒名料等	僧侶が受け取るお布施、戒名料等は、課税売上げになりますか。	▶ ✕ 不課税です

【第１編】　第２章　消費税の課否判定表──損益計算書科目【売上・収益編】

項　目	判 定 事 例	課 否 判 定
【身体障害者用物品】……原則として非課税です。		
身体障害者用物品の譲渡	小売業者が身体障害者でない者に対して行う身体障害者用物品の譲渡は、課税売上げになりますか。 **解説** 　非課税となる身体障害者用物品とは、身体障害者が購入する物品ではなく、身体障害者の使用に供するための特殊な性状、構造又は機能を有する物品として、厚生労働大臣が指定した物品（平成3年6月7日厚生省告示第130号により指定された物品）となります。	 非課税です
身体障害者に販売するオートマチック車	下肢が不自由なため運転免許証に条件が付されている人にオートマチック車（特別な仕様ではないもの）を販売する場合は、課税売上げになりますか。	 なります
【学校教育関係】……原則として非課税です。		
学校教育法に規定する学校における役務の提供	学校教育法（学校の範囲）に規定する小学校、中学校、高等学校、大学等の設置者が、その学校における教育として行う役務の提供の対価は、課税売上げになりますか。 **参考** 　非課税とされる教育として行う役務の提供の対価の範囲は次のものです。 　① 授業料（授業の評価のために行われる試験、再試験及び追試験に係る試験料を含みます。） 　② 入学金及び入園料 　③ 施設設備費（施設設備の整備、維持を目的として徴収する料金をいいます。） 　④ 入学又は入園のための試験に係る検定料 　⑤ 在学証明、成績証明その他学生、生徒、児童又は幼児の記録に係る証明の手数料及びこれに類する手数料	 非課税です
入学金等	学校教育法に規定する高等学校が収受した入学金のうち、後日、入学者の事情により入学しなかった場合の入学金は、課税売上げになりますか。 **解説** 　入学金は入学する権利を授与することの対価であり、入学金の支払時に資産の譲渡等が行われたものとなります。	 非課税です

項　目	判定事例	課否判定
入学寄附金	学校教育法に規定する高等学校が受け取る入学寄附金は、課税売上げになりますか。	✕ 不課税です
予備校等が受け取る授業料等	予備校、進学塾等が受け取る授業料、受講料、入学査定料等は、課税売上げになりますか。	◯ なります
そろばん塾等が受け取る授業料等	そろばん塾、英会話教室、自動車教習所等が受け取る授業料、受講料、入学査定料等は、課税売上げになりますか。	◯ なります
公開模試の検定料	学習塾、予備校等が行う、公開模擬学力試験の検定料は、課税売上げになりますか。	◯ なります
学校教育関係給食費及びスクールバス代	幼稚園や小学校などが受け取る給食費やスクールバス代は、課税売上げになりますか。 ① 幼稚園の場合 　イ　給食の提供及びスクールバスの維持・運営に要する費用の金銭を個別に表記せず、「授業料（保育料）」及び「施設設備費」として一括して徴収している場合	✕ 非課税です

> **解説**
> 　消費税法上、「授業料（保育料）」及び「施設設備費」は非課税となり、給食費やスクールバス代は課税の対象となりますが、これらについて、金額を個別に表記せず、一括して徴収している場合には、それぞれ「授業料（保育料）」及び「施設設備費」として非課税となります。
> 　ただし、募集要項等に「保育料（給食代○○○○円を含む）」、「施設設備費（スクールバス代○○○○円を含む）」のような表記を行っている場合は、「授業料（保育料）」又は「施設設備費」として一括して徴収していても、課税の対象となります。

項　目	判定事例	課否判定
	ロ　給食の提供及びスクールバスの維持・運営に要する費用を「給食代」、「スクールバス代」として別途徴収している場合	◯ なります

【第1編】　第2章　消費税の課否判定表──損益計算書科目【売上・収益編】

項　目	判定事例	課否判定
	②　幼稚園以外の場合	○ なります
機器使用料	学校が徴収する複写機利用手数料や受託研究手数料等は、課税売上げになりますか。	○ なります

【教科用図書】……原則として非課税です。

項　目	判定事例	課否判定
学校が指定した問題集等	学校が指定した、授業に使用するための問題集等で学校教育を補助するためのいわゆる補助教材の譲渡は、課税売上げになりますか。	○ なります
学習塾に販売する教科書	学習塾に対する教科書（文部科学省検定済）の販売は、課税売上げになりますか。 解説 　非課税となる教科書は、文部科学大臣の検定を得た文部科学省検定済み教科書と文部科学省が著作の名義を有する教科用図書で、譲渡の相手先は問いません。	× 非課税です
教科書販売に係る取次手数料等	教科書の販売に関して受け取る取次手数料や配送手数料は、課税売上げになりますか。	○ なります

【住宅の貸付け】……原則として非課税です。

項　目	判定事例	課否判定
居住用家屋の貸付け	住宅の貸付け（契約において人の居住の用に供することが明らかにされている場合に限られます（契約において貸付けに係る用途が、明らかにされていない場合であっても、その貸付け等の状況からみて人の居住の用に供されていることが明らかな場合を含みます。））に係る家賃は、課税売上げになりますか。 解説 　非課税となる住宅とは、人の居住の用に供する家屋又は家屋のうち人の居住の用に供する部分をいい、一戸建て住宅のほか、マンション、アパート、社宅、寮、貸間等が含まれます。	× 非課税です

項 目	判定事例	課否判定
居住用家屋の貸付け（事務所として使用するもの）	マンションの一室を事務所用に貸し付けた場合の家賃は、課税売上げになりますか。 **参考** 賃貸契約書において居住用として貸し付けた場合には、たとえ事務所用として使用していたとしても非課税となります。	 なります
居住用家屋の貸付けに係る敷金等	住宅の貸付けに際して受け取る敷金、保証金、権利金等のうち返還を要しない部分は、課税売上げになりますか。	 非課税です
	返還を要する部分は、課税売上げになりますか。	 不課税です
店舗兼用住宅の貸付け	店舗兼住宅など住宅と事業用施設が併設されている建物を一括して貸し付けた場合の住宅部分の家賃は、課税売上げになりますか。 **参考** この場合、貸付けの対価の額を非課税部分（住宅部分）と課税部分（店舗部分）とに合理的に区分することになりますが、その方法としては、 ① 面積比によりあん分する方法 ② 近隣の建物の貸付けに係る相場による方法 等が考えられます。	 非課税です
住宅付属設備の貸付け	住宅の貸付けに付随して貸し付ける庭塀や、住宅の付属設備として住宅と一体となって貸し付けるもの（家具、じゅうたん、照明設備、冷暖房設備など）で賃貸料が家賃に含まれている場合は、課税売上げになりますか。	 非課税です
	この場合で、家賃とは別に使用料等を収受している場合は、課税売上げになりますか。	 なります

項　目	判定事例	課否判定
住宅付属設備の貸付け（施設利用料相当額）	プール、アスレチック施設等を備えた住宅につき、居住者から家賃の一部として徴収する施設利用料相当額は、課税売上げになりますか（居住者以外の方でも利用料を支払えば、その施設が利用できることとなっています。）。	○ なります
まかない付居住用住宅の貸付け	「まかない」付の居住用の部屋の貸付け（いわゆる下宿）の場合の「まかない」部分は、課税売上げになりますか。	○ なります

参考

一括で家賃として受領している場合には、その「まかない」部分について、一食当たりの単価の見積りなどにより合理的に区分することになります。

項　目	判定事例	課否判定
社宅の転貸	契約で事業者が従業員の社宅に使用することが明らかな住宅を、その事業者に貸し付けた場合の賃貸料は、課税売上げになりますか。	✕ 非課税です
住宅の短期貸付け	貸付期間が1か月に満たない住宅の貸付けに係る家賃は、課税売上げになりますか。	○ なります
住宅の短期貸付け（期間の変更）	当初の契約期間は1か月に満たなかったが、その後の事情により貸付期間が1か月を超えた住宅の貸付けは、課税売上げになりますか。	○ なります
旅館業に係る施設の貸付け	旅館業法第2条第1項に規定する旅館業に係る施設（ホテル、旅館、リゾートマンション、一時貸し用マンション、貸別荘等）を、契約期間1か月以上で貸し付ける場合、課税売上げになりますか。	○ なります
原状回復費用	建物の賃借人が退去する際に、賃貸人が預り保証金等から差し引く原状回復費相当額は、課税売上げになりますか。	○ なります
共益費	テナントビルで共益費として収受する金銭は、課税売上げになりますか。	○ なります

項　目	判　定　事　例	課　否　判　定
	共益費のうち、テナントごとにメーター等により区分されている水道光熱費を預り金として処理している部分は、課税売上げになりますか。	▶ ✕ 不課税です
名義書換え承諾料	店舗、事務所等の所有者が借家人から受け取る名義書換えの承諾料（借家人がその店舗等を第三者に転貸しする際に所有者に支払うもの）は、課税売上げになりますか。 解説 　名義書換えの承諾料は、他の者に店舗等を利用させることの対価として課税対象になります。 　なお、居住用住宅の転貸しに係る名義書換えの承諾料については、他の者に居住用住宅を利用させることの対価となりますので、非課税売上げとなります。	▶ ◯ なります
建物の無償貸付け	建物を無償で貸し付けた場合は、課税売上げになりますか。	▶ ✕ 不課税です

【受取利息】

項　目	判　定　事　例	課　否　判　定
預貯金の利子	預貯金に係る受取利子は、課税売上げになりますか。	▶ ✕ 非課税です
貸付金の利子	貸付金に係る受取利子は、課税売上げになりますか。	▶ ✕ 非課税です
国債等の利子	国債、地方債、社債等に係る受取利子は、課税売上げになりますか。	▶ ✕ 非課税です
公社債等の経過利子	利子の計算期間の中途で購入した公社債の経過利子相当額を公社債の取得価額に算入している場合、購入後最初に受け取る利子は、課税売上げになりますか。	▶ ✕ 非課税です

項　目	判定事例	課否判定
	利子の計算期間の中途で購入した公社債の経過利子相当額を公社債の本体価額と区分して経理している場合で、経過利子相当額と購入後最初に受け取る利子とを相殺したときの相殺後の金額は、課税売上げになりますか。	 非課税です
	利子の計算期間の中途で譲渡した公社債の譲渡対価に経過利子相当額を含めている場合は、課税売上げになりますか。 　**解説** 　公社債の本体価額に経過利子相当額を含めた全体の譲渡対価が、公社債（有価証券）の譲渡に該当し、分母に譲渡対価の５％を非課税売上げにして課税売上割合の計算を行います。	 非課税です
	利子の計算期間の中途で譲渡した公社債で、経過利子相当額を利子収入とし本体の譲渡価額と区分して経理した場合、本体価額、利子相当額ともに課税売上げになりますか。 　**解説** 　公社債の譲渡は、有価証券等の譲渡に該当し非課税売上げとなり、課税売上割合の計算上譲渡価格の５％相当額を分母に算入します。 　経過利子相当額は受取利子に該当しますから、非課税売上げとなり、課税売上割合の計算上その全てを分母に算入します。	 非課税です
売掛債権に係る金利	売上代金の回収が手形により行われる場合において、手形サイトに応じて計算した利息相当額を代金と別建てにして請求することとしている場合の利息相当額は、課税売上げになりますか。 　**解説** 　適正金利に相当する金額を明確に区分し決済することとしている場合にのみ、利息相当額は非課税となります。	 非課税です
前渡金の利息	取引先に前渡金として資金を融通し、これに対して利息を受け取ることとしている場合の前渡金（貸付金に準ずるものとされています。）の利息は、課税売上げになりますか。	 非課税です

項　目	判定事例	課否判定
金利スワップ	金利スワップ取引に係る対価は、課税売上げになりますか。 **解説** 　金利スワップは、変動金利と固定金利との交換（スワップにより交換対象とする金利は負債勘定）で、支払手段の譲渡に該当し、非課税となります。	✕ 非課税です
アセットスワップ	アセットスワップ取引に係る対価は、課税売上げになりますか。 **解説** 　アセットスワップは、変動金利と固定金利との交換（スワップにより交換対象とする金利は債権であるが、債権そのものの譲渡ではなく、債権額に見合う金銭を譲渡）等で、支払手段の譲渡に該当し、非課税となります。	✕ 非課税です
通貨スワップ	通貨スワップ取引に係る対価は、課税売上げになりますか。 **解説** 　通貨スワップは、外貨と円貨との交換で、支払手段の譲渡に該当し、非課税となります。	✕ 非課税です
スワップフィー	スワップ取引に伴って受け取るスワップ手数料（スワップフィー）は、課税売上げになりますか。 **解説** 　スワップ手数料は、スワップに係る対価の一部と認められますから、支払手段の譲渡に該当し、非課税となります。	✕ 非課税です
本支店間の利子	国内本店と海外支店との間で授受される利子は、課税売上げになりますか。 **解説** 　内部取引であり、不課税です。	✕ 不課税です
国外取引に係る延払金利	延払条件付請負に係る工事の施主が非居住者である場合における利子相当額は、課税売上げになりますか。	✕ 免税です

【第1編】第2章　消費税の課否判定表──損益計算書科目【売上・収益編】

項　目	判定事例	課否判定

【受取配当金】

受取配当金	受取配当金は、課税売上げになりますか。 **解説** 利益の配当金は、株主又は出資者の地位に基づき、出資者に対する配当又は分配として受けるものですから、資産の譲渡等の対価に該当しません。	不課税です
合同運用信託等の収益分配金	合同運用信託、投資信託、特定目的信託又は特定公益信託等の分配金は、課税売上げになりますか。	非課税です
事業分量配当金	協同組合から支払を受けた事業分量配当金（その事業の利用分量に応じて剰余金の分配を受けるもの）は、課税売上げになりますか。 **解説** 組合員が、課税仕入れを対象として受ける事業分量配当金は、その性格が組合と組合員の取引の価格修正であることから、仕入れに係る対価の返還等に該当します。	仕入れ対価の返還です
匿名組合からの利益配当金	匿名組合の出資者である匿名組合員が受ける利益配当金は、課税仕入れになりますか。 **解説** 匿名組合の事業に属する資産の譲渡等又は課税仕入れ等は、匿名組合員ではなく営業者が単独で行ったものですので、その利益配当金は資産の譲渡等に係る対価とはなりません。	不課税です

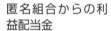【仕入割引】

| 仕入割引 | 課税資産を掛けで仕入れ、買掛金を支払期日前に支払った場合に相手方から受ける支払割引は、課税売上げになりますか。

解説
仕入れに係る対価の返還等に該当します。 | 仕入れ対価の返還です |

項　目	判　定　事　例	課　否　判　定

【販売奨励金】

| 販売奨励金 | 　販売促進の目的で、販売奨励金等の対象とされる課税資産の販売数量、販売高に応じて、取引先から金銭により支払を受ける販売奨励金は、課税売上げになりますか。 | ✕
仕入れ対価の返還です |

> **解説**
> 　仕入れに係る対価の返還等に該当します。

【為替差益】

| 為替差益 | 　外貨建債権債務に係る為替換算差益又は為替決済差益は、課税売上げになりますか。 | ✕
不課税です |

【債権取立益】

| 貸倒債権取立益 | 　過年度に貸倒れに認定した課税資産の売掛債権等が回収された際に計上する取立益は、課税売上げになりますか。 | ◯
なります |

> **解説**
> 　過年度において、貸倒れに係る消費税額等の控除を行っているものですから、回収された日の属する課税期間において課税標準額に対する消費税額に加算します。

【引当金戻入益】

| 貸倒引当金戻入益 | 　貸倒引当金の戻入益は、課税売上げになりますか。 | ✕
不課税です |

【受取手数料】

| 保険料の集金手数料 | 　生命保険料等の給与からの引去手数料は、課税売上げになりますか。 | ◯
なります |
| 名義貸料 | 　催事の主催者が受領する名義料は、名義貸しの対価として課税売上げになりますか。 | ◯
なります |

項　目	判定事例	課否判定
自動販売機の設置手数料	自動販売機を設置した際に設置者から受け取る手数料は、課税売上げになりますか。 **解説** 自動販売機の設置手数料は、場所の賃貸料、電気代及びサービスの対価として課税の対象となります。	
キャッシュディスペンサーの設置・管理等の手数料	百貨店やコンビニに設置されているキャッシュディスペンサーの現金を百貨店等で管理・補充し、その取引残高等に応じて受け取る手数料で、次の場合は課税売上げになりますか。 ①　金利部分が明示されている場合の金利部分	
	②　設置・管理等に係る手数料部分 **解説** 設置・管理等に係る役務の提供の対価に該当します。 なお、金利部分が明示されていない場合、全体が課税の対象となります。	

【雑収入】

項　目	判定事例	課否判定
長期滞留債務（雑益計上）	一定期間請求のない課税資産に係る買掛金について、仕入先から値引き、切捨て等の意思表示があり、雑益として計上した場合は、課税売上げになりますか。 **解説** 仕入れに係る対価の返還等に該当します。	
	一定期間請求のない課税資産に係る買掛金について、一定期間請求がないという事実のみに基づいて雑益として計上した場合は、課税売上げになりますか。 **解説** 課税資産の譲渡等の対価に該当しません。	

項　目	判定事例	課否判定
容器保証金	容器込みで資産を引き渡す場合に受け取るリターナブル容器（ビン、収納ケース等、洗うなどして何度も使用できるもの）の保証金は、課税売上げになりますか。	不課税です
	リターナブル容器が返却されなかったことにより、返還しないこととなった保証金を、当事者間において資産の譲渡等の対価として計上した場合は、課税売上げになりますか。	なります
	リターナブル容器が返却されなかったことにより返還しないこととなった保証金を、当事者間において損害賠償金として計上した場合は、課税売上げになりますか。 解説 　資産の譲渡等であるか損害賠償金であるかの判断は、当事者間での請求書等によることになります。	不課税です
長期停滞料等	ガスボンベを貸し付け、一定期間に返還されない場合に徴収する長期停滞料は、課税売上げになりますか。 解説 　資産の貸付けの対価に該当します。	なります
	臨時又は短期のユーザーにガスを販売する場合に徴収する預り保証金（ガスボンベが返還された際返金します。）は、課税売上げになりますか。 解説 　預り金であり、課税対象外となります。	不課税です
	ガスボンベが返還されなかった場合に没収した上記の預り保証金を当事者間において資産の譲渡等の対価として計上した場合は、課税売上げになりますか。 解説 　資産の譲渡等であるか損害賠償金であるかの判断は、当事者間での請求等によることになります。	なります

項　目	判定事例	課否判定
	ガスボンベが破損し返還不可となった場合に没収する上記の預り保証金は、課税売上げになりますか。 **解説** 原則として、損害賠償金に該当します。	✕ 不課税です
無事故達成奨励金	請け負った建設工事が無事故で終了したことに対して受け取る無事故達成奨励金は、課税売上げになりますか。 **解説** 建設工事に係る対価とは別に支払われるものであり、役務の提供の対価ではありませんから、課税対象外となります。 工事竣工報奨金も同様です。	✕ 不課税です
受贈益	仕入先から商品券等の物品切手の贈与を受けた場合は、課税売上げになりますか。	✕ 不課税です
現金過剰額	現金残高と現金出納帳残高との差額は、課税売上げになりますか。	✕ 不課税です
暗号資産の貸付けにおける利用料	暗号資産を暗号資産交換業者に貸し付けることにより、契約期間満了時に受領する当該貸し付けた暗号資産に一定の料率を乗じた利用料は、課税売上げになりますか。	〇 なります
雑収入	建設会社において、建設資材に残材（鉄筋屑等）が生じ、その残材を売却した場合は、課税売上げになりますか。	〇 なります

【固定資産売却益】

項　目	判定事例	課否判定
固定資産売却益	土地の売却益は、課税売上げになりますか。 **解説** 売却益ではなく、土地の譲渡対価（売買代金）が非課税売上げに該当します。	 不課税です

項　目	判定事例	課否判定
	建物の売却益は、課税売上げになりますか。 解説 　売却益ではなく、建物の譲渡対価（売買代金）が課税売上げに該当します。 　車両運搬具、器具備品等も同様です。	不課税です
【受贈益】		
受贈益	寄附金等を受け取ったことによる受贈益は、課税売上げになりますか。 解説 　資産の譲渡等の対価に該当しません。	不課税です
【補助金等】		
補助金等	国又は地方公共団体等から受け取る補助金は、課税売上げになりますか。 解説 　その他助成金・奨励金など、特定の政策目的の実現を図るための給付金は、資産の譲渡等の対価に該当しません。	不課税です
【対価補償金等】		
対価補償金	土地、借地権等に対する対価補償金は、課税売上げになりますか。	非課税です
	建物、立木、土砂採取権等に対する対価補償金は、課税売上げになりますか。	なります
	権利の消滅に係る補償金は、課税売上げになりますか。 ①　土地収用法等に基づき所有権その他の権利が収用され、その所有権等の権利の取得者から権利の消滅に係る補償金を取得した場合	なります

項　目	判定事例	課否判定
	解説 　収用の場合、その収用の目的物の所有権は起業者が原始取得することとなり、経済実態は譲渡と変わらないものであるため、課税の対象となります。	
	②　①で収用された土地の上に建物が存在し、移転が著しく困難であるため、その建物の収用を請求し収用されることとなった場合	 なります
	解説 　移転困難であるため収用を請求し収用された建物は、起業者がいったん取得し取り壊すものであるため、課税の対象となります。	
移転補償金	送電線等の電気設備が設置されている場所で、道路建設業者から送電線等の移設の要請を受け、移設のために必要な費用として受け取る移設補償金は、課税売上げになりますか。	 不課税です
	解説 　自己の資産を移設するための費用を補填するために収受する、いわゆる「移転補償金」ですから、資産の譲渡等の対価には該当せず、課税の対象とはなりません。	
移転補償金（対価補償金として扱われるもの）	土地の収用等に伴い、建物移転のために必要な経費として収受した移設補償金については、建物を移転せずに取り壊した場合には、租税特別措置法上の「対価補償金」として取り扱われますが、この補償金の収受は、課税売上げになりますか。	 不課税です
	解説 　租税特別措置法上で「対価補償金」として取り扱われる補償金であっても、消費税法上課税の対象となる「対価補償金」は、資産の収用等に際して、その所有権等の権利を取得する者からその権利の消滅の対価として支払われる補償金に限られます。	
収益補償金	土地の収用等に基づき建物を移設する場合に受け取るその移設期間について減少することとなる収益又は生じることとなる損失に対する補償金（いわゆる「収益補償金」）は、課税売上げになりますか。	 不課税です

70

項　目	判定事例	課否判定
経費補償金	土地の収用等に基づく休業や廃業等により生じる事実上の費用、又は収用等された資産以外の資産について実現した損失に対する補償金（いわゆる「経費補償金」）の収受は、課税売上げになりますか。	不課税です

【解約損害金等】

項　目	判定事例	課否判定
早期完済割引料	延払販売に係る対価について本体価格と利子とを区分して得意先に明示している場合で、得意先が繰上弁済をする場合に収受する残賦払金額の1％～3％の早期完済割引料は、課税売上げになりますか。 **解説** 得べかりし利益（逸失利益）を補償するために受け取る損害賠償金に該当し、課税対象外となります。	不課税です
	延払販売を行っている場合に、得意先が繰上弁済をしたことにより収受する金銭が1件当たりいくらというように定額となっている際、収受する金銭は課税売上げになりますか。 **解説** 解約手数料を対価とする役務の提供に該当します。	なります
規定損害金（解約損害金）	ファイナンス・リース取引において、契約期間終了前に契約を解除する場合に収受する次の規定損害金（解約損害金）は、課税売上げになりますか。 ① リース物件の消滅によりユーザーから徴収する損害金 **解説** 被った損害に対して支払われる損害賠償金は、一般的には対価性がないことから課税の対象とはなりませんが、実質的に売買代金や貸付料等と同様の性格を有する場合には課税の対象となります。	不課税です
	② ユーザーの倒産等により強制的に解約した場合にユーザーから徴収する損害金 **解説** ①の解説を参照してください。	不課税です

項　目	判定事例	課否判定
	③　リース物件のレベルアップを図るため、リース業者とユーザーで合意の上解約した場合にユーザーから徴収する損害金 **解説** ①の解説を参照してください。	 なります
遅延損害金	消費者等に対する証書貸付けの貸付金には年利３％の利息を付していますが、貸付金の返済が遅れた場合に、消費者等から受け取ることとしている年利15％の遅延損害金は、課税売上げになりますか。 **解説** 金銭債権の返済遅延に伴う遅延損害金は、遅延期間に応じて一定の利率に基づき算定される利息に相当するものであり、資産の譲渡等に該当しますが、金銭の貸付けに伴う利息として、消費税は非課税となります。	 非課税です
キャンセル料	建物の賃貸契約をキャンセルされたことにより受け取るキャンセル料は、課税売上げになりますか。	 不課税です
【示談金】		
交通事故の示談金	交通事故で示談金を受け取った場合、課税売上げになりますか。	 不課税です
【債務免除益】		
債務免除益	課税仕入れに係る債務免除を受け、債務免除益を計上した場合は、課税売上げになりますか。 **解説** 仕入れに係る対価の返還には該当しません。	 不課税です
【受取保険金】		
受取保険金	保険事故（満期若しくは死亡、傷害、損害等の事実）に基づき受け取った保険金は、課税売上げになりますか。	 不課税です

仕入・費用編

項　目	判定事例	課否判定
【国内取引】		
課税資産の譲受け	国内において、事業者が事業として課税資産を譲り受けた場合は、課税仕入れになりますか。 **解説** 事業者　→15ページ参照	○ なります
課税資産の借受け	国内において、事業者が事業として課税資産を借り受けた場合は、課税仕入れになりますか。 **解説** 課税資産の貸付け　→15ページ参照	○ なります
役務の提供を受けた場合	国内において、事業者が事業として役務の提供を受けた場合は、課税仕入れになりますか。 **解説** 役務の提供　→15ページ参照	○ なります
非課税資産の譲受け等	土地の譲受けや借受け、また、有価証券の譲受けなど非課税資産の譲受け等は、課税仕入れになりますか。 **参考** 非課税取引　→16ページ参照	× 非課税です
課税資産と非課税資産の仕入れ	不動産業者における土地付建物の仕入れなど、課税資産と非課税資産を一括で仕入れた場合は、課税仕入れになりますか。 **解説** 　この場合、土地付建物のうち建物部分など課税資産に係る部分のみが課税仕入れの対象になります。 　なお、課税資産と非課税資産のそれぞれの対価の額を合理的に区分する必要があります。 　区分方法　→42ページ参照	○ なります （課税資産のみ）

【第1編】 第2章　消費税の課否判定表――損益計算書科目【仕入・費用編】

項　目	判定事例	課否判定
国外での仕入れ	商品、製品等の課税資産を国外において仕入れた（引渡しを受けた）場合は、課税仕入れになりますか。 解説 　国外において引渡しを受けるものであれば、相手先が外国法人等であるかどうかを問わず、課税仕入れにはなりません。	 不課税です
外国法人からの仕入れ	商品、製品等課税資産を国内において外国法人等非居住者から仕入れた場合は、課税仕入れになりますか。 解説 　国内において行われる（引渡しを受ける）取引であれば、課税仕入れの相手方は問いません。	 なります
免税事業者からの仕入れ	商品、製品等課税資産を免税事業者から仕入れた場合は、課税仕入れになりますか。	 なりません※ ※ただし、適格請求書等保存方式開始から一定期間は、適格請求書発行事業者以外の者からの課税仕入れであっても、仕入税額相当額の一定割合を仕入税額とみなして控除できる経過措置が設けられています。
消費者からの仕入れ	商品、製品等課税資産を消費者から購入した場合は、課税仕入れになりますか。	 なります※ ※ただし、古物営業、質屋、宅地建物取引業又は再生資源卸売業を営む事業者が適格請求書発行事業者でない者から棚卸資産として取得（購入）する取引は、一定の事項を記載した帳簿のみの保存で仕入税額控除が認められます。

項　目	判定事例	課否判定
空きびん等の購入	消費者から空きびんや容器ケースを買い上げた場合は、課税仕入れになりますか。	○ なります
国外取引（不課税売上げ）に対応する仕入れ	国外で販売するための商品等課税資産を、国内で仕入れた場合は、課税仕入れになりますか。	○ なります
	海外での工事に使用するための課税資産を、国内で仕入れた場合は、課税仕入れになりますか。 **参考** 仕入控除税額の計算を個別対応方式で行う場合の区分は、「課税売上げにのみ要するもの」になります。	○ なります
輸出取引（免税売上げ）に対応する仕入れ	輸出として販売するための商品等課税資産を国内で仕入れた場合は、課税仕入れになりますか。	○ なります
非課税取引（非課税売上げ）に対応する仕入れ	非課税資産である教科用図書を印刷するための印刷代や用紙代など、非課税資産を販売するために要する課税資産の仕入れ等は、課税仕入れになりますか。 **参考** 仕入控除税額の計算を個別対応方式で行う場合の区分は、「非課税売上げにのみ要するもの」になります。	○ なります
土地の造成費（貸ビル建設用の土地）	不動産業者が貸ビルの建設を行うために土地を造成する場合の土地の造成費は、課税仕入れになりますか。 **参考** 仕入控除税額の計算を個別対応方式で行う場合の区分は、「課税売上げにのみ要するもの」になります。	○ なります
土地の造成費（分譲マンション建設用の土地）	不動産業者が分譲マンション（土地付）の建設を行うために土地を造成する場合の土地の造成費は、課税仕入れになりますか。	○ なります

【第1編】　第2章　消費税の課否判定表──損益計算書科目【仕入・費用編】

項　目	判定事例	課否判定
	参考　仕入控除税額の計算を個別対応方式で行う場合の区分は、「課税売上げ及び非課税売上げに共通して要するもの」になります。	
土地の造成費（住宅用賃貸マンション建設用の土地）	不動産業者が賃貸マンション（住宅用）の建設を行うために土地を造成する場合の土地の造成費は、課税仕入れになりますか。 **参考**　仕入控除税額の計算を個別対応方式で行う場合の区分は、「非課税売上げにのみ要するもの」になります。	 ○ なります
土地の造成費（販売用の土地）	不動産業者が土地を売却するために土地を造成する場合の土地の造成費は、課税仕入れになりますか。 **参考**　仕入控除税額の計算を個別対応方式で行う場合の区分は、「非課税売上げにのみ要するもの」になります。	 ○ なります
個人事業者の生活用資産の購入	個人事業者の生活用に使用するための課税資産の購入費用は、課税仕入れになりますか。 **解説**　事業として行う取引ではありませんので、課税仕入れにはなりません。	 × 不課税です
個人事業者が自家消費した棚卸資産等の仕入れ	個人事業者が、棚卸資産や事業用資産を自家消費した場合の棚卸資産等の仕入れは、課税仕入れになりますか。 **参考**　この場合、その自家消費は課税売上げになります。	 ○ なります
無償での譲受け	課税資産を無償で譲り受けた場合は、課税仕入れになりますか。	 × 不課税です

項　目	判定事例	課否判定
仕入商品を廃棄等した場合	仕入商品を廃棄し、又は盗難、火災等による減失があった場合も、既に行っている仕入れは課税仕入れになりますか。 　棚卸資産の廃棄等は不課税取引になります。	なります
仕入れに係る付随費用	仕入れに係る次の付随費用は、課税仕入れになりますか。 ①　国内運賃、荷役費、荷造費、保管料（保険料を除きます。）、購入手数料等	なります
	②　国際運賃	免税です
	③　運送保険料、支払利子	非課税です
	④　関税、不動産取得税等の租税公課	不課税です
外国貨物の通関手続費用	外国貨物の荷役、運送、保管等及び通関手続に係る費用は、課税仕入れになりますか。	免税です
課税貨物の保税地域からの引取り	商品、製品等課税資産の保税地域からの引取りに係る消費税額は、課税貨物の引取りとして課税仕入れになりますか。 解説 　商品等を保税地域から引き取る際、輸入申告をする必要があり、その際に税関に課税貨物の引取りに係る消費税等を納付します。 　その納付した消費税等の額が仕入控除税額となります。	なります

項　目	判定事例	課否判定
仕入返品	商品（課税資産）を返品した場合は、課税売上げになりますか。 解説 返品をした課税期間において控除します。	✕ 課税仕入れの金額から控除します
仕入割戻し	利息計算により算定された仕入割戻しを受け取った場合は、課税売上げになりますか。	✕ 課税仕入れの金額から控除します
仕入割引	仕入れた商品の代金を支払期日よりも前に支払ったため仕入割引を受けた場合は、課税売上げになりますか。	✕ 仕入れ対価の返還です
棚卸減耗損等	商品が陳腐化したためその商品の棚卸減耗損を計上した場合は、課税仕入れになりますか。 解説 棚卸資産を購入した時点で課税仕入れを行っていますので、棚卸減耗損を計上した時点では課税仕入れはできません。 　また、仕入商品の廃棄、盗難、火災等による滅失があった場合でも不課税です。	✕ 不課税です
消費者に対するキャッシュバック	新製品キャンペーンの一環として、製品を購入した消費者全員にキャッシュバックサービスを行う場合には、課税仕入れになりますか。	✕ 売上対価の返還です
国内事業者が国外事業者から受けた「事業者向け電気通信利用役務の提供」	国内事業者が国外事業者から次の取引を受けた場合は、課税仕入れになりますか。 ①　インターネット上での広告の配信	◯ なります※
	②　ゲームをはじめとするアプリケーションソフトをインターネット上のWebサイトで販売する場所を提供するサービス	◯ なります※

項　目	判定事例	課否判定
	③　クラウドサービス等の電気通信利用役務の提供のうち、取引当事者間において提供する役務の内容を個別に交渉し、取引当事者間固有の契約を結ぶもので、契約において役務の提供を受ける事業者が事業として活用することが明らかなもの	なります※
	解説 　①～③の取引は、「事業者向け電気通信利用役務の提供」に該当します。 　国外事業者から受けた「事業者向け電気通信利用役務の提供」については、その役務の提供を受けた国内事業者が、その「事業者向け電気通信利用役務の提供」に係る支払対価の額を課税標準として、消費税及び地方消費税の申告・納税を行うこととなります（いわゆる「リバースチャージ方式」）。 　なお、リバースチャージ方式により申告を行う必要があるのは、一般課税により申告する事業者で、その課税期間における課税売上割合が、95％未満の事業者に限られます。	※ただし、仕入税額控除の対象にできるのは、当分の間、一般課税により申告する事業者で、その課税期間における課税売上割合が95％未満の事業者に限られます。
国内事業者が国外事業者から受けた「消費者向け電気通信利用役務の提供」	国内事業者が国外事業者から次の取引を受けた場合は、課税仕入れになりますか。	
	①　インターネット等を通じて行われる電子書籍・電子新聞・音楽・映像・ソフトウエアの配信	なります
	②　顧客に、クラウド上のソフトウエアやデータベースを利用させるサービス	なります
	③　顧客に、クラウド上で顧客の電子データの保存を行う場所の提供を行うサービス	なります
	④　インターネット上のショッピングサイト・オークションサイトを利用させるサービス	なります

項　目	判定事例	課否判定
	解説 ①〜④の取引は、「消費者向け電気通信利用役務の提供」に該当します。ただし、①〜④のような取引であっても、インターネット上のデータベース等を企業内で広く活用するために、当該役務の提供を受けている事業者と利用範囲、利用人数、利用方法等について個別に交渉を行って、一般に提供されている取引条件等とは別に、当該事業者間で固有の契約を締結しているようなものなど、その取引条件等から事業者間取引であることが明らかな場合には、「事業者向け電気通信利用役務の提供」に該当します。	
国外事業者から受けた「特定役務の提供」等	国内において、国内事業者が国外事業者から次の取引を受けた場合は、課税仕入れになりますか。 ①　芸能人として行う映画の撮影、テレビへの出演	 なります※
	②　俳優、音楽家として行う演劇、演奏	 なります※
	③　スポーツ競技大会等への出場 **解説** ①〜③の取引は、「特定役務の提供」に該当します。	 なります※
	④　非居住者であるスポーツチームの監督やコーチが行う、監督・コーチとしての役務の提供 **解説** 　「特定役務の提供」は、国外事業者である職業運動家が行うスポーツ競技等への出場が該当します。 　したがって、国内のスポーツチーム等が非居住者である監督、コーチ等から競技指導などの役務の提供を受けた場合であっても、監督、コーチ等は職業運動家に該当しませんので、当該役務の提供は「特定役務の提供」には該当しないこととなります。	 なります

項　目	判定事例	課否判定
	⑤　国外の音楽家に国内で演奏してもらうために、当該音楽家を仲介する国外の事業者の仲介手数料	なります
	解説 　演奏する又は演奏する者を雇用等している国外事業者以外に支払う仲介手数料は、仲介という役務の提供に対する対価と認められますので、その対価は、「特定役務の提供」の対価には該当しないこととなります。	※ただし、仕入税額控除の対象にできるのは、当分の間、一般課税により申告する事業者で、その課税期間における課税売上割合が95％未満の事業者に限られます。
	参考 　国外事業者から受けた「特定役務の提供」については、その役務の提供を受けた国内事業者が、その「特定役務の提供」に係る支払対価の額を課税標準として、消費税及び地方消費税の申告・納税を行うこととなります（いわゆる「リバースチャージ方式」）。 　なお、リバースチャージ方式により申告を行う必要があるのは、一般課税により申告する事業者で、その課税期間における課税売上割合が95％未満の事業者に限られます。	
国外事業者が恒久的施設で受ける「事業者向け電気通信利用役務の提供」	国外事業者が恒久的施設で受ける「事業者向け電気通信利用役務の提供」のうち、国内において行う資産の譲渡等に要するものは、課税仕入れになりますか。	なります

【国外取引】

項　目	判定事例	課否判定
国外の展示会の会場設営	国外で行う展示会の会場設営を国内の建設業者に発注した場合の会場設営費は、課税仕入れになりますか。	不課税です
	解説 　役務の提供が行われた場所は国外ですから、不課税となります。 　なお、その役務の提供を行う事業者が居住者であるか非居住者であるかは問いません。	
	国外で行う展示会の会場設営を国内の建設業者に発注し、その建設業者が現地の建設業者に下請に出した場合、国内の建設業者に支払う工事代金は課税仕入れになりますか。	不課税です

項　目	判 定 事 例	課 否 判 定

> **解説**
> 　国内の建設業者及び現地で下請した建設業者ともに、その請負に係る作業現場が国外であることから、その請負に係る役務の提供は国外で行われるものであり、課税の対象とはなりません。

ツアーコンダクターの人材派遣料

　旅行会社が、人材派遣会社から次の海外旅行のツアーコンダクターの派遣を受けた場合、人材派遣料は課税仕入れになりますか。

①　海外現地のみで行われる添乗サービス等である場合

▶ ✕ 不課税です

② 　出国から帰国まで一貫して行われる添乗サービス等で、人材派遣会社の人材派遣に係る事務所等の所在地が国内である場合

▶ ◯ なります

③ 　出国から帰国まで一貫して行われる添乗サービス等で、人材派遣会社の人材派遣に係る事務所等の所在地が国外である場合

▶ ✕ 不課税です

国外の美術館からの絵画の借受け

　国内で展示するために国外の美術館から絵画を借り受ける場合の次の賃借料は、課税仕入れになりますか。

① 　国外の美術館の責任の下に国内に運び込まれ、国内（保税地域を含みます。）で引渡しを受ける場合

▶ ◯ なります

② 　国外の美術館で引渡しを受ける場合

▶ ✕ 不課税です

登録を要する国外からの技術導入に伴う技術使用料

　次の国外からの技術導入に伴い支払う技術使用料（特許権等の登録を要するもの）は、課税仕入れになりますか。

① 　その特許権等を登録した機関の所在地が国内である場合

▶ ◯ なります

項　目	判定事例	課否判定
	②　その特許権等を登録した機関の所在地が国外である場合	✕ 不課税です
	③　その特許権等が複数の国の機関で登録したものである場合 **解説** 特許権等が複数の国の機関で登録したものである場合、権利の譲渡又は貸付けを行う者の住所地で判断することとなります。	✕ 不課税です
国外からの技術導入に伴う技術指導料	国外からの技術導入に伴い、国内において技術指導を受ける場合に支払う技術指導料は、課税仕入れになりますか。 **解説** 技術指導という役務の提供の対価ですから、国内で技術指導を受けるのであれば、課税となります。	◯ なります
国外での建設工事の資材調達費	国外で建設工事を請け負った場合の次の資材調達費は、課税仕入れになりますか。 ①　現地で資材等を調達する場合	✕ 不課税です
	②　国内で資材等を調達する場合 **解説** 国外で請け負った工事であっても、その工事が国内で行われた場合で課税資産の譲渡等に該当するものであれば、その工事のために国内で行われた課税仕入れは、個別対応方式で仕入税額控除を行う場合、課税資産の譲渡等にのみ要するものに該当します。	◯ なります
外国証券の売買に係る委託手数料	外国証券の売買を行った場合に海外の証券会社に支払う委託手数料は、課税仕入れになりますか。	✕ 不課税です

項　目	判定事例	課否判定
国内事業者が国外事業所等で受ける「事業者向け電気通信利用役務の提供」	国内事業者が国外事業所等で受ける「事業者向け電気通信利用役務の提供」のうち、国内以外の地域において行う資産の譲渡等にのみ要するものは、課税仕入れになりますか。	不課税です

【製造原価】

項　目	判定事例	課否判定
原材料の仕入れ	原材料の仕入れは、課税仕入れになりますか。	なります
外注費	外注費は、課税仕入れになりますか。 **解説** 　大工、左官等に支払う手間賃については、雇用契約に基づく給与等（不課税取引）と認められるときは、課税仕入れとはなりません。	なります
原材料の有償支給	外注先に原材料を有償で支給し、有償支給分を相殺した後の金額を外注費として支払っている場合の相殺前の金額は、課税仕入れになりますか。 有償支給は課税売上げに該当します。	なります
国外への外注費	国外で生産している製品について、現地で外注を行った場合、その外注費は課税仕入れになりますか。	不課税です
未成工事支出金	建設工事等に係る未成工事支出金について、工事が完成して完成工事原価に振り替える時点で一括して課税仕入れとすることができますか。 **解説** 　本来、未成工事支出金に係る個々の取引については、それぞれ時期に応じて課税仕入れとするのが原則ですが、一般的な実務面を考慮して、継続適用を条件として認められているものです。	できます
出来高払い	建設工事に係る人的役務の提供（給与に該当する場合を除きます。）で、月単位の出来高で支払を行う場合、その出来高払いは課税仕入れになりますか。	なります

項　目	判　定　事　例	課　否　判　定
請負に係る中間金の支払	下請業者と製品の引渡しを要する請負契約を行い、発注から引渡しを受けるまでに下請業者に対して支払った中間金は、課税仕入れになりますか。	✕ 不課税です

> **解説**
> 　課税仕入れの時期は製品の引渡しを受けたときとなりますので、製品の引渡しを受けたときに中間金を含めた全額が課税仕入れとなります。

項　目	判　定　事　例	課　否　判　定
出来高検収書	元請業者が作成した出来高検収書について、下請業者に記載事項の確認を受けた場合の、その出来高検収書に記載された内容は、課税仕入れとなりますか。	◯ なります

> **参考**
> 　この取扱いは、下請業者の課税売上げ計上の時期を問わないこととされています。

【人件費】……原則として課税仕入れできません。

項　目	判　定　事　例	課　否　判　定
役員報酬	役員報酬は、課税仕入れになりますか。	✕ 不課税です
役員賞与等	役員賞与は、課税仕入れになりますか。	✕ 不課税です
役員退職金等	役員退職金は、課税仕入れになりますか。	✕ 不課税です
給与	従業員給料、パート・アルバイト賃金等は、課税仕入れになりますか。	✕ 不課税です
賞与	従業員及びパートに対する賞与は、課税仕入れになりますか。	✕ 不課税です

【第1編】　第2章　消費税の課否判定表──損益計算書科目【仕入・費用編】

項　目	判定事例	課否判定
退職金	従業員に対する退職金は、課税仕入れになりますか。	✕ 不課税です
早期退職加算金等	早期退職を募る際、退職金に加算して支給する早期退職加算金や特別割増退職金は、課税仕入れになりますか。	✕ 不課税です
給与負担金（親会社に支払うもの）	親会社からの出向社員の給料等として親会社に支出する次の給与負担金は、課税仕入れになりますか。 ①　給料の一部として支出するもの	 ✕ 不課税です
	②　給料の一部とは区分して、別途出張旅費、通勤費などの実費相当額を支出するもの（親会社はそのまま出向社員に支給する。）	◯ なります
	③　退職金の一部として、出向期間に応じて支出するもの	✕ 不課税です
給与負担金（子会社に支払うもの）	子会社へ出向した社員の給料の一部として子会社に対して支出する給与負担金は、課税仕入れになりますか。	✕ 不課税です
経営指導料	親会社から出向社員を受け入れ、その給与に見合う金額を経営指導料として親会社に支出する場合の経営指導料は、課税仕入れになりますか。	✕ 不課税です
技術指導料	他社から社員の派遣（出向による派遣を除きます。）を受け、技術指導等を受ける場合に支払う技術指導料は役務の提供の対価に該当し、課税仕入れになりますか。	◯ なります
派遣料	人材派遣契約により派遣会社に支払う派遣料は、課税仕入れになりますか。	◯ なります

項　目	判定事例	課否判定
通勤手当	使用人がその通勤に必要な交通機関の利用又は交通用具の使用のために支出する費用に充てるために支給する通勤手当は、課税仕入れになりますか。	◯ なります
通勤手当（現物支給）	使用人がその通勤に必要な交通機関の利用又は交通用具の使用のために支出する費用に充てるために通勤手当として定期券などの現物を支給する場合は、課税仕入れになりますか。	◯ なります
通勤手当（自転車通勤者）	自転車通勤者に対して、所得税法上の非課税限度の範囲内で支給する通勤手当は、課税仕入れになりますか。	◯ なります
通勤手当（ガソリン代）	自動車通勤者に支給するガソリン代で、通常必要であると認められる部分の金額については、課税仕入れになりますか。	◯ なります
扶養手当等	所得税法上給与所得とされる各種手当（扶養手当、特殊勤務手当、役職手当、住宅手当、在宅勤務手当及び残業手当等）は、課税仕入れになりますか。	✕ 不課税です
賞与（棚卸資産の現物支給）	使用人に支給する賞与の一部として、棚卸資産を現物給付した場合の棚卸資産の仕入れは、課税仕入れになりますか。	◯ なります

▲参考

　法人がその役員に対して棚卸資産等の課税資産を贈与した場合や低額譲渡した場合には、原則として贈与等をした棚卸資産等の時価を譲渡対価とみなして消費税が課税されます。

項　目	判定事例	課否判定
賞与（私的資産の現物支給）	個人事業者が使用人に支給する賞与の一部として、私的に購入したものを現物給付した場合のその購入費用は、課税仕入れになりますか。	✕ 不課税です
報償金、表彰金、賞金等	次の報償金、表彰金、賞金等は、課税仕入れになりますか。	

【第1編】　第2章　消費税の課否判定表──損益計算書科目【仕入・費用編】

87

項目	判定事例	課否判定
	① 業務上有益な発明等をした自己の使用人から、その発明等に係る特許等を受ける権利等を承継した場合に金銭で支給するもの	なります
	② 特許権、実用新案権又は意匠権を取得した使用人等に、これらの権利に係る実施権の対価として金銭で支給するもの	なります
	③ 事務又は作業の合理化、製品の品質改良又は経費の節約等に寄与する工夫等（特許等を受けるに至らないもので、その使用人の通常の職務の範囲内の行為）をした使用人に金銭で支給するもの 解説 給与に該当します。	不課税です
	④ 勤務成績の優秀な者を表彰するに当たり、記念品を現物で支給するために購入した課税資産の購入費用	なります
	⑤ 人命救助などの篤行により社会的に顕彰されたことにより、使用者にも栄誉を与えた者に対して支払う報償金 解説 篤行者に対する贈与となり、資産の譲渡等には該当しません。	不課税です

【報酬・料金等】

項目	判定事例	課否判定
外交員報酬等	外交員、集金人、検針人等に支払う報酬又は料金のうち、給与所得に該当しない部分は、課税仕入れになりますか。 解説 給与所得に該当する部分とその他の部分との区分は所得税基本通達204−22《外交員又は集金人の業務に関する報酬又は料金》の例によります。	なります

項　目	判定事例	課否判定
外交員に支給する旅費	外交員、集金人、検針人等に支払う旅費で所得税法上非課税所得に該当するものは、課税仕入れになりますか。	○ なります
弁護士報酬等	弁護士、公認会計士、税理士、司法書士等に支払う報酬は、課税仕入れになりますか。	○ なります

▲ **参考**

この場合、源泉所得税を控除する前の金額が課税仕入れの金額となります。

項　目	判定事例	課否判定
派遣医師に係る委託料	医療法人の勤務医を産業医として派遣してもらう対価として、医療法人に支払う委託料は、課税仕入れになりますか。	○ なります
産業医報酬	個人の開業医を産業医として迎え、役務の提供の対価として、開業医に支払う報酬は、課税仕入れになりますか。	✕ 不課税です

解説

開業医が受け取る報酬は給与所得となります。

項　目	判定事例	課否判定
国等に納付すべき登録免許税等	弁護士を通じて支払った、本来国等に対して納付すべき登録免許税や登記、特許等の手数料部分は、課税仕入れになりますか。	✕ 不課税です
弁護士等に支払う実費相当額	弁護士等に支払う宿泊費、交通費等の実費相当額は、課税仕入れになりますか。	○ なります
	この場合、その実費相当額を直接ホテル等に支払ったものは、課税仕入れになりますか。	○ なります

【福利厚生費】

項　目	判定事例	課否判定
社会保険料	事業主が負担する社会保険料（健康保険法、厚生年金保険法、雇用保険法、船員保険法等の規定に基づくもの）は、課税仕入れになりますか。	✕ 非課税です

【第1編】第2章　消費税の課否判定表──損益計算書科目【仕入・費用編】

項　目	判 定 事 例	課 否 判 定
慶弔金	従業員の慶弔に際して現金で支出する慶弔金は、課税仕入れになりますか。	✕ 不課税です
災害見舞金	専属下請先の従業員に対して、自社の従業員と同様に災害等一定の事由に該当する場合に金銭で支出する見舞金等は、課税仕入れになりますか。	✕ 不課税です
祝品等の購入代金	従業員の慶弔に際して、祝品、果物、生花、花輪等課税資産を贈る場合のその購入代金は、課税仕入れになりますか。	◯ なります
健康診断費用	従業員が受診する健康診断（非課税とされていない）の費用の一部を負担した場合は、課税仕入れになりますか。	◯ なります
権利金（社宅借上げの際のもの）	社宅を借り上げた際に支払った権利金（返還されないもの）は、課税仕入れになりますか。	✕ 非課税です
	社宅を借り上げた際に支払った権利金（返還されるもの）は、課税仕入れになりますか。	✕ 不課税です
家賃の一部負担	従業員が契約した借家の賃料の一部を会社が負担した場合、その支払った金額は課税仕入れになりますか。	✕ 不課税です

参考

　会社が借家の保有者に直接支払うものであっても、現物給与とされる家賃補助にあたるものは社員に対する給与ですから、不課税となります。

項　目	判 定 事 例	課 否 判 定
利子補給金	住宅取得の促進のため、従業員が金融機関から借り入れた住宅取得資金の利息の全部又は一部を会社が支給する場合の利子補給金は、課税仕入れになりますか。	✕ 不課税です

項　目	判 定 事 例	課否判定
社宅購入費等	社宅、独身寮の購入費（土地の購入費を除きます。）及び修理等に係る維持、運営費（管理人、賄い人の給与などの不課税取引や火災保険料などの非課税取引を除きます。）は、課税仕入れになりますか。	○ なります
慰安旅行の補助金	慰安旅行に際して支出する次の補助金は、課税仕入れになりますか。	
	①　国内での慰安旅行に際して支出する補助金で、直接旅行業者等に支払うもの	○ なります
	②　国内又は海外の慰安旅行に際して支出する補助金で、社員に金銭で支給するもの **参考**　この場合でも、国内旅行であり、かつ、会社宛ての領収書などにより、課税仕入れであることが明らかなものは課税仕入れになります。	× 不課税です
	③　海外への慰安旅行に際して支出する補助金で、直接旅行業者等に支払うもの	× 不課税です
	④　役員だけの慰安旅行（国内・海外）に際して支出する補助金で、所得税法上給与に該当するもの	× 不課税です
忘年会等の補助金	忘年会、歓送迎会、運動会、文化祭等に際して支出する次の補助金は、課税仕入れになりますか。	
	①　直接飲食業者等に支払うもの	○ なります
	②　社員に金銭で支給するもの **参考**　この場合でも、会社宛ての領収書などにより、課税仕入れであることが明らかなものは課税仕入れになります。	× 不課税です

項　目	判 定 事 例	課 否 判 定
レジャークラブ等の年会費	レジャークラブ、スポーツクラブなど法人会員としての年会費は、課税仕入れになりますか。	なります
従業員団体に対する助成金	従業員団体（運動部、文化サークル等）に対して支出する次の助成金は課税仕入れになりますか。 ① 会社の一部とされる従業員団体に対して、レクリエーション費用の全部又は一部を賄うために金銭で支出するもの この場合でも、会社宛ての領収書などにより、課税仕入れであることが明らかなものは課税仕入れになります。 なお、会社の一部とされる従業員団体に該当するかどうかは、消費税法基本通達1－2－4《福利厚生等を目的として組織された従業員団体に係る資産の譲渡等》によります。	不課税です
	② 会社の一部とされる従業員団体が課税資産を購入した場合の購入代金	なります
	③ 会社の一部とされる従業員団体以外の従業員団体に対して、レクリエーション費用の全部又は一部を賄うために金銭で支出するもの この場合でも、その支出した金銭の範囲内の金額でレクリエーション費用として費消されたことが、従業員団体の支払に対する領収書で明らかなものは課税仕入れになります。	不課税です
	④ 会社の一部とされる従業員団体以外の従業員団体に対して交付する課税資産の購入代金	なります
社員持株会等に対する奨励金等	社員持株会に対して支出する奨励金及び助成金などは、課税仕入れになりますか。	不課税です

項　目	判定事例	課否判定
社員共済会等に対する補助金等	社員共済会、社内親睦団体に対して支給する補助金、負担金などは、課税仕入れになりますか。	✕ 不課税です
永年勤続者に支給する記念品の購入費用等	永年勤続者に対して支給する記念品等に係る次の費用は、課税仕入れになりますか。 ①　永年勤続者に支給する記念品の購入費用	○ なります
	②　永年勤続者に支給する旅行券（給与として課税されないもの）の購入費用	○ なります
	③　永年勤続者に支給する旅行券（旅行券の使用状況を管理していない場合など給与として課税されるもの）の購入費用	✕ 不課税です
催し物の入場券の購入費用	福利厚生の一環として従業員に対して催し物の入場券を交付した場合におけるその入場券等の購入費用は、課税仕入れになりますか。	○ なります
	解説 　非課税である物品切手等については、本来、購入したときではなく、役務の提供等を受けたときにはじめて課税仕入れとなりますが、購入者が自ら引換給付を受けるものについて、継続的に購入時に課税仕入れとしているときは、これが認められることとされています。	
直営食堂の維持管理費用	直営食堂における次の維持管理費用は、課税仕入れになりますか。 ①　食材費、水道光熱費、食器代等	○ なります
	②　賄い婦、パート等の給与等	✕ 不課税です

【第1編】　第2章　消費税の課否判定表──損益計算書科目【仕入・費用編】

項　目	判　定　事　例	課　否　判　定
業務委託費	社員食堂を外部委託で運営している場合の業務委託費（人件費に係る部分も含まれています。）は、課税仕入れになりますか。	○ なります
外部食堂へ支払う 食事代金	外部食堂と契約して支払う次の食事代金は、課税仕入れになりますか。 ①　従業員に食券を無償支給し、その利用枚数に応じて食堂に支払う食事代金	○ なります
	②　従業員に食堂利用券（割引券）を交付し、その利用枚数（割引額）に応じて食堂に支払う食事代金	○ なります
深夜勤務者に支給 する弁当の購入費 用	深夜勤務の従業員に無償又は一部有償で支給する弁当の購入費用は、課税仕入れになりますか。 **参考** 　この場合、職員から受け取る弁当代金は、課税売上げに該当します。	○ なります
深夜勤務者に支給 する食事代相当額	深夜勤務の従業員に食事代相当額を金銭で支給する場合は、課税仕入れになりますか。	× 不課税です
福利厚生施設の維 持管理費用	会社の福利厚生施設の維持管理費用（管理人の給与、火災保険料等を除きます。）は、課税仕入れになりますか。	○ なります
福利厚生施設の管 理人給与	会社の福利厚生施設の管理人の給与は、課税仕入れになりますか。	× 不課税です
【保険料等】		
生命保険料等	会社が支払う生命保険料（掛捨て分及び積立て分を含みます。）又は損害保険料（掛捨て分及び積立て分を含みます。）は、課税仕入れになりますか。	× 非課税です

項　目	判定事例	課否判定
生命保険料（給与に該当するもの）	会社が支払う生命保険料（その従業員の給与に該当するもの）は、課税仕入れになりますか。	× 不課税です
生命共済掛金等	生命共済掛金や火災共済掛金など法令等により組織されている団体の共済掛金の支払は、課税仕入れになりますか。	× 非課税です
共済掛金	任意の互助組織による団体の共済制度の共済掛金の支払は、課税仕入れになりますか。	× 非課税です
福利厚生施設の火災保険料	会社の福利厚生施設の火災保険料は、課税仕入れになりますか。	× 非課税です
特定損失負担金等	所得税法及び法人税法に規定する特定損失負担金や租税特別措置法に規定する特定基金に対する負担金や掛金の支払は、課税仕入れになりますか。	× 非課税です
輸入貨物の保険料	輸入貨物に係る保険料の支払は、課税仕入れになりますか。	○ なります

参考
輸入取引の場合の課税標準

課税対象となる外国貨物の引取価額 ＝ 関税課税価格（C.I.F） ＋ 個別消費税額 ＋ 関税額

【販売促進費等】

| 販売奨励金等 | 次の販売奨励金等は、課税仕入れになりますか。

① 販売促進の目的で、取引先に対して販売数量、販売高等に応じて、金銭により支払うもの | × 売上対価の返還です |

項　目	判定事例	課否判定
	解説 　事業者が販売促進の目的で販売奨励金等の対象とされる課税資産の販売数量、販売高等に応じて取引先に対して金銭により支払われる販売奨励金等（いわゆるリベート）は、売上げに対する割戻しとして売上げに係る対価の返還等に該当します。	
	②　代理店助成のために、契約1件当たりにつき支払う手数料のほかに、代理店に対してその契約高に応じて金銭で支払うもの 解説 　代理店を奨励して、手数料の上乗せとして、契約の件数に応じて支払われる販売奨励金は、代理店に対する役務の提供の対価として課税仕入れできます。	 なります
	③　特約店のセールスマンに対して取引数量に応じて直接金銭で支払うもの 解説 　この場合は、自己の直属の外交員に対する報酬の支払と同様のものであり、外交員に対する報酬（役務の提供の対価）となります。	 なります
販売促進費（観劇費用）	販売促進の目的で得意先を観劇等に招待した費用は、課税仕入れになりますか。	 なります
販売促進費（観劇券の購入費用）	販売促進の目的で得意先を観劇等に招待するため、観劇券を交付した場合の観劇券の購入費用は、課税仕入れになりますか。	 非課税です
建設協力金	建築中のビルの内装工事を請け負い、その内装工事に関連して、元請業者に対して支払う建設協力金（内装工事代金の一定割合に応じて支払うもので、これを支払うことにより建築中のビルの電気や水道等を自由に使用できることになるもの）は、課税仕入れになりますか。 解説 　この建設協力金は、単なる寄附金とは異なり、その支払によって、電気や水道等の使用などサービスの提供を受けるものと考えられますので、役務の提供の対価の支払として課税仕入れになります。	 なります

項　目	判定事例	課否判定
スタンプ券の印刷費	商品等の購入者に対して購入数量に応じて交付するいわゆるスタンプ券の印刷又は購入代金は、課税仕入れになりますか。	○ なります
スタンプ券引換え用景品購入代金	所定の枚数のスタンプ券を呈示する者に対して引き換える景品の購入代金は、課税仕入れになりますか。 **参考** 商品の購入者にスタンプ券を無償で交付する行為及びスタンプ券を呈示する者に無償で景品を引き換える行為は不課税取引となります。	○ なります
プリペイドカード購入費用	次のプリペイドカードの購入費用は、課税仕入れになりますか。 ① 購入時に資産計上し、役務提供を受ける都度役務の提供の対価として交付し、その都度経理処理している場合	○ なります
	② 購入時に経費として経理処理している場合	✕ 非課税です
情報提供料	情報の提供者に支給する次の情報提供料は、課税仕入れになりますか。 ① 役務の提供の対価として金銭で支給するもの	○ なります
	② 景品を支給する場合の景品の購入費用	○ なります
見本等の購入費用	得意先等に無償で配付する商品の見本、試供品等の購入代金は、課税仕入れになりますか。	○ なります
サービス品の購入費用	高額商品等を販売した際に無償で交付するサービス品の購入代金は、課税仕入れとなりますか。	○ なります

【第1編】　第2章　消費税の課否判定表——損益計算書科目【仕入・費用編】

項　目	判定事例	課否判定

【旅費・交通費】

項　目	判定事例	課否判定
出張旅費等	次の出張旅費、宿泊費及び日当は、課税仕入れになりますか。	
	①　社内の旅費規程に基づき定額で支払うものなど、その旅行について「通常必要であると認められる部分」	なります
	②　その旅行について「通常必要であると認められる部分」の範囲を超える所得税法上給与として課税される部分 **参考** 所得税法上は、「経済的かつ合理的な運賃」とは認められず給与として課税されるグリーン料金等であっても、消費税法上は、現に通勤の費用に充てられている部分の金額については課税仕入れになります。	不課税です
自家用車の借上料	従業員の所有する自家用車を一定の条件で借り上げて、営業活動に使用させる場合の借上料（走行キロ数やガソリン代の実費を基に算出）は、課税仕入れになりますか。	なります
転勤に伴う支度金	国内での転勤に伴い支給する所得税法上非課税とされる移転料に該当する支度金（転居に伴う電話移設費、ガス器具調整費等）は、課税仕入れになりますか。	なります
海外出張旅費等	海外出張に際して支給する次の旅費等は、課税仕入れになりますか。	
	①　国内と外国の間の航空運賃に係る部分	免税です
	②　外国におけるホテル代、食事代、交通費等に係る部分	不課税です

項　目	判　定　事　例	課　否　判　定
	③　国内移動費も含めて契約されている場合の、連続して移動が行われる国内移動費（免税対象となるもの）に係る部分	✕ 免税です
	④　国内における出発前夜の宿泊費及び交通費を実費分として他の海外出張旅費と区分して支給している場合	◯ なります
	⑤　海外出張のための準備費用（身の回り品等の購入費）として支給する支度金	◯ なります
ホームリーブ旅費等（国内旅行部分）	ホームリーブ旅費（日本国内に長期間勤務する外国人に対して、相当の期間を経過するごとに休暇を認め、その帰国に必要な支出に充てるために支給する金品）又は家族呼び寄せのための旅費のうち、国内旅行に係る部分は課税仕入れになりますか。	◯ なります
ホームリーブ旅費等（国内旅行以外の部分）	ホームリーブ旅費又は家族呼び寄せのための旅費のうち、国内旅行に係る部分以外の部分は課税仕入れになりますか。	✕ 免税又は不課税です
単身赴任者の帰宅費用	単身赴任者が帰宅するための旅費として、月又は年を単位として支給する金銭は、課税仕入れになりますか。	✕ 不課税です

> **解説**
> 　旅費として支給する金品であっても、旅行の実態に関係なく、年額や月額によって一律に支給される旅費等のようにその支給の起因となった個々の旅行との結びつきが明らかでないものや、その旅行に通常必要であると認められる金額を超えて支給される部分の金額は、課税仕入れに該当しません。

項　目	判　定　事　例	課　否　判　定
海外からの赴任支度金	海外から技師又は研修生等を受け入れ、着任後に支給する赴任支度金は、課税仕入れになりますか。	◯ なります
航海日当（内航船）	内航船に係る航海日当は、課税仕入れになりますか。	◯ なります

【第1編】第2章　消費税の課否判定表──損益計算書科目【仕入・費用編】

項　目	判定事例	課否判定
航海日当（外航船等）	外航船、遠洋漁船に係る航海日当は、課税仕入れになりますか。	✕ 不課税です
派遣社員の旅費等	出向先法人が派遣社員の旅費、通勤費、日当などの実費相当額を出向元法人に支払う場合の旅費等は、課税仕入れになりますか。	◯ なります
顧客を招待する際の旅費等	顧客を招待するため、直接旅行会社に支払う旅費、宿泊費等は、課税仕入れになりますか。	◯ なります
採用予定者等に支給する旅費等	入社試験の受験者や採用予定者に金銭で支給する交通費、日当、支度金（旅費規程に定める程度のもの）は、課税仕入れになりますか。	◯ なります

【通信費】

項　目	判定事例	課否判定
電信・電話料等	国内における電信・電話料、郵送料及びファクシミリの利用料は、課税仕入れになりますか。	◯ なります
郵便切手類購入代金（日本郵便㈱等）	日本郵便㈱や郵便切手類販売所から郵便切手類を購入した場合の購入代金は、課税仕入れになりますか。	✕ 非課税です

> **解説**
> 　郵便切手類については、日本郵便㈱や郵便切手類販売所等一定の場所から購入したものについては、非課税取引となります。
> 　ただし、購入者自身が引換給付を受けるものについて、継続して郵便切手類の対価を支払った日（購入の時）を課税仕入れとしている場合には、それが認められることとされています。

項　目	判定事例	課否判定
郵便切手類購入代金（チケットショップ等）	チケットショップなど、日本郵便㈱等以外から郵便切手類を購入した場合の購入代金は、課税仕入れになりますか。	◯ なります
国際電信・電話料	国際電信・電話料や国際郵便料金は、課税仕入れになりますか。	✕ 免税です

項　目	判定事例	課否判定
【水道光熱費】		
電気、水道、ガス代	電気、上下水道、ガス代等は、課税仕入れになりますか。	なります
電気、水道、ガス代（家事関連費部分）	個人事業者が支出する電気、ガス、水道等の料金のうち、家事関連費部分については課税仕入れになりますか。	不課税です
【寄附金】		
寄附金（金銭）	事業者が、国、地方公共団体や取引先、各種団体などへ金銭で行う寄附金は、課税仕入れになりますか。	不課税です
寄附金（棚卸資産）	事業者が、販売目的で仕入れた課税資産である棚卸資産を寄附した場合の仕入代金は、課税仕入れになりますか。	なります

仕入税額控除の計算を個別対応方式で行う場合の区分は、「課税売上げにのみ要するもの」になります。

寄附金名目の金銭の支払	地方公共団体の工場誘致等により、建物等課税資産を譲り受け、その対価のほかに別途寄附金等の名目で金銭を支払った場合に、その支払った金銭が実質的にみてその課税資産の対価を構成すると認められる場合は、課税仕入れになりますか。	なります
外国への寄附	外国へ寄附する目的で国内で購入した課税資産の購入代金は、課税仕入れになりますか。	なります

仕入税額控除の計算を個別対応方式で行う場合の区分は、「課税売上げ及び非課税売上げに共通して要するもの」になります。

項　目	判定事例	課否判定
【地代家賃】		
地代	資材置き場に使用するために借り入れている更地の地代は、課税仕入れになりますか。	✕ 非課税です
地代（短期）	一時的に資材置き場に使用するために短期（1か月未満）に借り入れた更地の地代は、課税仕入れになりますか。	◯ なります
地代（駐車場用地）	更地を借り入れ、自社で駐車スペースの区割りを行うなどして駐車場として使用している場合の地代は、課税仕入れになりますか。	✕ 非課税です
駐車場代	駐車スペースの区割り等がされた土地を駐車場として借り入れている場合に支払う賃借料は、課税仕入れになりますか。	◯ なります
土地の賃借料	借り入れた土地に自社ビルを建築して、事務所として使用している場合の土地の賃借料は、課税仕入れになりますか。	✕ 非課税です
土地付建物の賃借料	借り入れた土地付建物を事務所として使用し、土地と建物の賃借料をそれぞれ区分して支払っている場合の建物の賃借料部分は、課税仕入れになりますか。	◯ なります
	この場合の土地の賃借料部分は、課税仕入れになりますか。	◯ なります
	この場合、契約時点で支払う権利金や敷金で返還されない部分については、課税仕入れになりますか。	◯ なります
	契約内容を変更せずに従業員の社宅として使用している場合の賃借料は、課税仕入れになりますか。	◯ なります

項　目	判定事例	課否判定
	なお、この場合は、賃貸人の受け取る賃貸料は課税売上げとなります。	
店舗の賃借料	個人事業者が店舗付住宅を借り入れ、賃借料を支払っている場合の店舗部分の賃借料は、課税仕入れになりますか。	○ なります
	店舗部分と住宅部分の賃借料が一括で支払われている場合には、それぞれ合理的に区分することになります。	
社宅用マンションの賃借料	従業員の社宅として使用するため（契約書で社宅として使用することが明らかにされているもの）に借り入れた賃貸マンションの賃借料は、課税仕入れになりますか。	非課税です
	この場合、契約内容を変更せずに事務所として使用した場合の賃借料は、課税仕入れになりますか。	非課税です
	参考　課税仕入れとするためには、契約内容を変更する必要があります。なお、契約内容を変更した場合には、賃貸人の受け取る賃貸料は課税売上げとなります。	
損害賠償金（賃借料相当分）	明渡しを求められた建物につき、明渡しが遅滞したことにより賃貸人に支払った賃借料相当分の損害賠償金は、課税仕入れになりますか。	なります
	解説　損害賠償金という名目であっても、その実質がその建物の賃借料に該当すると認められる場合には、課税仕入れの対象となります。	

【賃借料】

項　目	判定事例	課否判定
賃借料（事業用資産）	事業用の機械、器具及び備品等の賃借料は、課税仕入れになりますか。	なります

項　目	判定事例	課否判定
賃借料（役員等に支払うもの）	役員又は従業員から自家用車を借り受け、事業に使用している場合の役員等に支払う賃借料は、課税仕入れになりますか。	なります
所有権移転外ファイナンス・リース取引に係るリース料	賃借人が支払う所有権移転外ファイナンス・リース取引に係る賃借料は、資産の譲渡等の対価として、消費税法上、仕入控除税額の計算を行うことになりますか。	なります

《原則》
　所有権移転外ファイナンス・リース取引に該当する場合には、リース資産の引渡しを受けた日に資産の譲受けがあったものとして、仕入控除税額の計算を行います。

《例外》
所有権移転外ファイナンス・リース取引について賃借人が賃貸借処理した場合の取扱い
　所有権移転外ファイナンス・リース取引につき、事業者（賃借人）が賃貸借処理をしている場合で、そのリース料について支払うべき日の属する課税期間における課税仕入れ等として消費税の申告をしているときは、これによって差し支えありません。

区　分		取扱い	備　考
ファイナンス・リース取引	所有権移転	リース資産の引渡時に「資産の譲渡」があったものとされます。	
	所有権移転外	リース資産の引渡時に「資産の譲渡」があったものとされます。	所有権移転外ファイナンス・リース取引につき、事業者（賃借人）が賃貸借処理をしている場合で、そのリース料について支払うべき日の属する課税期間における課税仕入れ等として消費税の申告をしているときは、これによって差し支えありません。
	セール・アンド・リースバック等	リース資産に係る譲渡代金の支払時に「金銭の貸付け」があったものとされます。	
オペレーティング・リース取引		リース料の支払期日において「資産の貸付け」の対価として認識されます。	

項　目	判定事例	課否判定

【償却費】

| 減価償却費 | 建物、機械等課税資産に係る減価償却費は、課税仕入れになりますか。

解説
　課税資産については、購入の時点で課税仕入れを行うことになりますので、減価償却費を計上する時点では課税仕入れとはなりません。 |
不課税です |
| 繰延資産の償却費 | 創立費、開業費等の繰延資産の償却費のうち、課税資産に係る部分については、課税仕入れになりますか。

解説
　繰延資産については、計上した時点で課否判定を行い、課税仕入れを行うことになりますので、償却費を計上する時点では課税仕入れとはなりません。 |
不課税です |

【租税公課】

租税公課（法人税等）	自らが納税義務者として納付する租税公課（法人税、所得税、事業税、都道府県民税、市町村民税、事業所税、消費税、固定資産税、印紙税、自動車税、自動車重量税、登録免許税、加算税（金）、延滞税（金）、過怠税等）は、課税仕入れになりますか。	 不課税です
租税公課（軽油引取税）	軽油引取税の特別徴収義務者であるガソリンスタンド（特約業者）から軽油を購入した際支払う軽油引取税額（軽油引取税額が区分されている場合）は、課税仕入れになりますか。	 不課税です
	本体価格と軽油引取税額が区分されていない場合は、軽油引取税額を含めた全額が課税仕入れになりますか。 解説 　軽油引取税の特別徴収義務者であるガソリンスタンド（特約業者。特約業者と委託販売契約を締結している事業者を含みます。）が本体価格と軽油引取税額を区分して販売する場合の当該軽油引取税額は、資産の譲渡等の対価の額に含まれません。	 なります

項　目	判定事例	課否判定
租税公課（不動産取得税等）	建物購入価格に算入されている不動産取得税は課税仕入れになりますか。 **解説** 　資産購入に付随する費用で、不動産取得税、登録免許税等の租税公課は不課税です。	✕ 不課税です
収入印紙代（日本郵便㈱等での購入）	日本郵便㈱、郵便切手類販売所、印紙売りさばき所等一定の場所で購入した収入印紙代金は、課税仕入れになりますか。	✕ 非課税です
収入印紙代（チケットショップ等での購入）	チケットショップ等上記以外の者から購入した収入印紙代金は、課税仕入れになりますか。	◯ なります
証紙代（地方公共団体等での購入）	地方公共団体又は売りさばき人から購入した証紙代金は、課税仕入れになりますか。	✕ 非課税です
証紙代（チケットショップ等での購入）	チケットショップ等上記以外の者から購入した証紙代金は、課税仕入れになりますか。	◯ なります

【会費・組合費・分担金等】

項　目	判定事例	課否判定
会費等	次の会費等の支払は、課税仕入れになりますか。	
	①　同業者団体、組合等がその団体としての通常の業務運営のために経常的に要する費用をその構成員に分担させるもの	✕ 不課税です
	②　会費等の名目であっても実質的には、出版物の購読料、映画・演劇等の入場料、職員研修の受講料又は施設の利用料等と認められるもの	◯ なります
	③　資産の譲渡等の対価に該当するかどうかの判定が困難な会費等で、同業者団体、組合等から「資産の譲渡等の対価に該当しない」旨の通知を受けているもの	✕ 不課税です

項　目	判定事例	課否判定
	解説 　同業者団体、組合等の構成員が支払う会費、組合費等については、その同業者団体等が構成員に対して行う役務の提供等との間に明白な対価関係があるかどうかによって課税仕入れの可否を判定することになります。	
購読料等の名目で支払う会報等の負担金	同業者団体等の発行する会報、機関紙等の発行費用に係る負担金として、購読料、特別会費等の名目で支払うものは、課税仕入れになりますか。	なります
負担金（同業者団体等の構成員が負担するもの）	同業者団体等の構成員が、その同業者団体から役務の提供を受けた対価として支払う負担金は、課税仕入れになりますか。 **参考** 　役務の提供と負担金との対価関係が明白なものであると判定することが困難な場合で、その同業者団体等が対価性のないものとして処理し、その旨を構成員に通知している場合には、課税仕入れとなりません。	なります
	同業者団体等の構成員が共同して行う宣伝、販売促進、会議等に要した費用を賄うために、その同業者団体等（主宰者）に支払う負担金、賦課金等は、課税仕入れになりますか。	なります
	この場合、当該宣伝等に要した費用の全額について、その宣伝等への参加者ごとの負担割合があらかじめ定められており、その主宰者が収受した負担金等について資産の譲渡等の対価とせず、仮勘定として経理しているものであっても課税仕入れになりますか。 **参考** 　当該負担金等により賄われた費用のうち課税仕入れ等に該当する部分を、各参加者がその負担割合に応じて課税仕入れを行うことになります。	なります
特別分担金	同業者組合が行う「組合設立〇〇周年」記念式典等に際して組合員が負担する特別分担金は、課税仕入れになりますか。	不課税です

項　目	判定事例	課否判定
各種セミナーの会費	同業者団体等が主宰する各種セミナーや講座等の会費は、課税仕入れになりますか。 **解説** 講義等の役務の提供に対する対価として、課税仕入れになります。	○ なります
情報センター等の入会金等	情報の提供を業務としている情報センター等への入会金や会費は、課税仕入れになりますか。	○ なります
負担金（百貨店の取引先が負担するもの）	百貨店が中元商品のカタログを自己名義で作成する場合における掲載商品のメーカー等が負担する負担金は、課税仕入れになりますか。 **参考** この場合、百貨店がカタログ作成に要した費用の全額について、そのカタログ作成への参加者ごとの負担割合があらかじめ定められており、その百貨店が収受した負担金等について資産の譲渡等の対価とせず、仮勘定として経理しているものについては、当該負担金により賄われた費用のうちの課税仕入れ等に該当する部分を、各メーカー等がその負担割合に応じて課税仕入れを行うことになります。	○ なります
分担金（展示会費用）	メーカー等が系列販売店のために行う展示会費用の一部を負担した販売店の分担金は、課税仕入れになりますか。	○ なります
分担金（即売会開催費用）	同業者組合等が主催する即売会の開催費用（広告代、場所代等）を賄うために支払う参加分担金は、課税仕入れになりますか。	○ なります
分担金（共同研究費用）	共同研究（研究の成果について共有とするもの）を行う参加事業者が支出する分担金は、課税仕入れになりますか。	○ なります
容器包装リサイクル法に基づき特定事業者が指定法人に支払う拠出委託料	容器包装リサイクル法に基づき特定事業者が指定法人に支払う拠出委託料は課税仕入れになりますか。	○ なります

項　目	判定事例	課否判定

《概要》
　酒、醤油及び飲料水等の製造事業者及び当該製品の容器製造事業者（特定事業者）は、容器包装に係る分別収集及び再商品化の促進等に関する法律（容器包装リサイクル法）によって、自己の前年製品出荷量に応じて算定された一定量（再商品化義務量）の容器等のリサイクルが義務付けられており、この義務を履行するため容器包装リサイクル法の規定に基づいて主務大臣が指定した法人（指定法人）に再商品化業務を委託しています。
　平成18年6月に容器包装リサイクル法が改正され、リサイクルの効率化や社会的コストの低減を図ることを目的として、指定法人は再商品化の合理化の寄与度に応じた金銭（再商品化合理化拠出金）を各市町村に支払うこととされました。なお、この再商品化合理化拠出金は、特定事業者から指定法人に支払われる金銭（拠出委託料）を原資として、指定法人から各市町村に支払われます。
《消費税法における取扱い》
　特定事業者が指定法人に対して支払う拠出委託料は、資産の譲渡等に係る対価に該当します。なお、指定法人が各市町村に対して支払う再商品化合理化拠出金は、資産の譲渡等に係る対価に該当しません。

【信託報酬】

| 信託報酬（合同運用信託等） | 合同運用信託及び公社債投資信託（株式又は出資に対する投資として運用しないもの）に係る信託報酬の支払は、課税仕入れになりますか。

解説
　公社債投資信託とは、所得税法第2条第1項第15号に規定する証券投資信託のうち、その信託財産を公社債に対する投資として運用することを目的とするもので、株式又は出資に対する投資として運用しないものです。 |
非課税です |
| 信託報酬（公社債等運用投資信託） | 公社債等運用投資信託に係る信託報酬の支払は、課税仕入れになりますか。

解説
　公社債等運用投資信託とは、所得税法第2条第1項第15号の2に規定するもので、証券投資信託以外の投資信託のうち、信託財産として受け入れた金銭を公社債等（公社債、手形、指名金銭債権等）に対して運用するものです。 |
非課税です |

項　目	判 定 事 例	課 否 判 定
信託報酬（特定金銭信託等）	特定金銭信託（公社債投資信託部分を除きます。）及び金外信託に係る信託報酬の支払は、課税仕入れになりますか。	○ なります
中途解約手数料	指定金銭信託の中途解約手数料（中途解約により信託銀行が被った損害に対する賠償）は、課税仕入れになりますか。	✕ 不課税です

【会議・研修費等】

項　目	判 定 事 例	課 否 判 定
会場使用料	会議、研修等に使用するための会場使用料は、課税仕入れになりますか。	○ なります
茶菓子代等	会議等の場で提供する茶菓子代や弁当代は、課税仕入れになりますか。	○ なります
株主総会費	株主総会のための費用（会場費等）は、課税仕入れになりますか。	○ なります
講演料等	会議・研修等の際、招へいする講師に支払う講演料や資料作成のための原稿料は、課税仕入れになりますか。	○ なります
講演料（実費相当額）	会議・研修等の際、外国から招へいする講師に支払う往復の渡航費の実費相当額は、課税仕入れになりますか。	○ なります

> **解説**
> 国際旅客輸送は免税取引ですが、直接講師に支払う実費相当額は、講師に対する講演料の一部として、課税仕入れの対象となります。

項　目	判 定 事 例	課 否 判 定
教材費	研修等の場で使用する教材の購入費用は、課税仕入れになりますか。	○ なります

項　目	判 定 事 例	課 否 判 定
外部委託研修費	研修等の実施を外部委託した際の外部委託費は、課税仕入れになりますか。	◯ なります
社員通信教育費	従業員に、業務に必要な知識、技能等を修得させるための次の通信教育に係る費用は、課税仕入れになりますか。	
	①　会社で通信教育の申込みを行い、通信教育を行っている事業者に直接受講料を支払っている場合	◯ なります
	②　受講料相当額を従業員に対して現金で支給している場合	✕ 不課税です
	③　従業員を通じて支払った受講料について、通信教育を行っている事業者から会社宛ての領収書を徴した場合	◯ なります
従業員に対して支給する学資金	修学中の従業員に支給する奨学金や従業員の子弟のための奨学金は、課税仕入れになりますか。 解説 　所得課税の有無にかかわらず、課税の対象とはなりません。	✕ 不課税です
大学等で行う社員研修の授業料等	従業員に、業務に必要な知識、技能等を取得させるための次の研修の授業料や受講料は、課税仕入れになりますか。	
	①　学校教育法第１条に規定する大学、大学院等 　イ　大学公開講座等の受講 　　　大学等における正規の授業科目ではなく、一般社会人等を対象に一般教育の習得等を目的として開講される講座等を受講するもの	◯ なります
	ロ　大学等の授業の聴講 　　　大学等における正規の授業科目で、一般的には単位を取得することとなっているような授業について、聴講生として受講するもの	✕ 非課税です

項　目	判定事例	課否判定
	② 学校教育法第134条第1項に規定する外国語学校、ビジネス学校等の各種学校 　イ　修学年限が1年以上で、その授業時間数が680時間以上あること等消費税法基本通達6-11-1《学校教育関係の非課税範囲》の要件に該当する授業を受講するもの	✕ 非課税です
	□　その他の授業を受講するもの	◯ なります
	③ 大学等の研究機関における研修 　イ　大学等における正規の教育として行う研修を受講するもの	✕ 非課税です
	□　大学等における正規の教育として行う研修に該当しないものを受講するもの	◯ なります

【手数料】		
販売委託手数料	商品の販売等を委託する者が受託者に支払う販売委託手数料は、課税仕入れになりますか。	◯ なります
代理店手数料	代理店に支払う代理店手数料は、課税仕入れになりますか。	◯ なります
代理店手数料（保険代理店）	保険会社が代理店に支払う代理店手数料や、受託者に支払う損害調査又は鑑定などの役務の提供に係る手数料は、課税仕入れになりますか。 **参考** 　保険料を対価とする役務の提供は、非課税取引となります。	◯ なります
業務代行手数料	国外取引のみを行う会社の日本国内における業務を親会社が代行して行う場合に、親会社に支払う業務代行手数料は、課税仕入れになりますか。	◯ なります

項　目	判定事例	課否判定
	参考　仕入控除税額の計算を個別対応方式で行う場合の区分は、「課税売上げにのみ要するもの」になります。	
土地仲介手数料	土地等非課税資産を譲渡し、又は貸し付けた場合に仲介者に支払う手数料は、課税仕入れになりますか。 **参考**　仕入控除税額の計算を個別対応方式で行う場合の区分は、「非課税売上げにのみ要するもの」になります。	なります
	土地等非課税資産を取得した場合に仲介者に支払う手数料は、課税仕入れになりますか。 **解説** 仲介手数料は土地を仲介するという役務の提供の対価ですから課税されます。 ただし、購入した事業者が個別対応方式で仕入税額控除を行っている場合、土地の利用目的により控除対象となるかどうかが変わります。 ① 土地の購入者（事業者）が、課税売上げのみの事業行っている場合、全額控除対象となります。 ② 土地の購入者（事業者）が、非課税売上げのみの事業行っている場合、全額控除対象外となります。 ③ 土地の購入者（事業者）が、課税・非課税の両方の売上げがある場合、課税・非課税共通の費用となりますから、課税売上割合であん分します。	なります
	仲介行為のない者に対して手数料名目で支払った金銭は、課税仕入れになりますか。 **解説** 役務の提供がないことから、消費税の課税取引にはなりません。	不課税です
土地付建物仲介手数料	土地付建物を譲渡した場合に仲介者に支払う手数料は、課税仕入れになりますか。	なります

項　目	判定事例	課否判定
	 　仕入控除税額の計算を個別対応方式で行う場合の区分は、「課税・非課税売上げに共通して要するもの」になります。 　なお、譲渡価格について、土地部分と建物部分を合理的に区分している場合には、仲介手数料のうち建物部分に見合う金額（譲渡価格の比率によりあん分した額）を「課税売上げにのみ要するもの」としても差し支えありません。	
株式の委託売買手数料等	株式の売買に伴い証券会社に支払う委託売買手数料、投資顧問料、保護預り手数料等は、課税仕入れになりますか。	 なります
	 　仕入控除税額の計算を個別対応方式で行う場合の区分は、それぞれ「非課税売上げにのみ要するもの」になります。	
割賦販売手数料等	割賦販売法に規定する割賦販売、ローン提携販売及び包括信用購入あっせん又は個別信用購入あっせんの手数料で、当該手数料が割賦販売等に係る契約に明示されているものは、課税仕入れになりますか。	 非課税です
クレジット手数料	加盟店が信販会社へ支払うクレジット手数料（信販会社が加盟店から譲り受ける債権の額と加盟店への支払額との差額）は、課税仕入れになりますか。	 非課税です
加盟店手数料	加盟店が取引金額に応じてクレジットカード発行会社に支払う加盟店手数料は、課税仕入れになりますか。	 非課税です
	解説 　これは、クレジットカードを利用した顧客に係る販売代金をクレジットカード発行会社から受領する場合に支払うものであり、クレジットカード発行会社が加盟店からその顧客に係る売掛債権を譲り受けるに当たっての対価と認められますので、非課税取引となります。	

項　目	判 定 事 例	課 否 判 定
経営指導料	販売・仕入れの手法等の指導の対価として支払う経営指導料は、課税仕入れになりますか。	○ なります
フランチャイズ手数料・ロイヤリティ	フランチャイズチェーンの傘下店として、その名称を使用すること、広告の代行、経営指導等の対価として支払うフランチャイズ手数料、ロイヤリティは、課税仕入れになりますか。	○ なります
金銭消費貸借契約締結の手数料	金銭消費貸借契約を締結する際、金融業者に支払う次の契約締結料は、課税仕入れになりますか。 ①　契約１件ごとに定額を支払うもの	○ なります
	②　借入金額の一定割合を事務手数料として支払うもの（利息制限法第３条《みなし利息》の規定により、利息とみなされるもの） 解説 　金融業者から金銭を借り入れる際に支払う各種手数料については、利息制限法上の「利息」とみなされるものであっても、元本、利率、期間により計算されないものは課税仕入れの対象となります。	○ なります
国内送金為替手数料	国内における送金為替手数料、貸金庫手数料、保護預り手数料等は、課税仕入れになりますか。	○ なります
外国送金為替手数料	外国送金に係る為替手数料は、課税仕入れになりますか。	✕ 非課税です
外国為替業務に係る役務の提供	外国為替業務に係る次の役務の提供は、課税仕入れになりますか。 ①　外国為替取引に係るもの ②　対外支払手段の発行に係るもの ③　対外支払手段の売買又は債券の売買に係るもの	✕ 非課税です

【第１編】　第２章　消費税の課否判定表──損益計算書科目【仕入・費用編】

項　目	判 定 事 例	課否判定
	③のうち、居住者による非居住者からの証券（外国為替及び外国貿易法第6条第1項第11号に規定するものをいいます。以下同じ。）の取得又は居住者による非居住者に対する証券の譲渡に係る媒介、取次ぎ又は代理については、非課税とされる役務の提供から除かれています。	
為替予約の延長手数料	為替予約の決済期日を延長する際に支払う期日変更手数料は、課税仕入れになりますか。	 非課税です
居住者外貨預金に係る手数料等	金融機関に支払う次の居住者外貨預金に関する手数料は、課税仕入れになりますか。 ①　外国為替取引又は対外支払手段の売買に係る資金の付替手数料	 非課税です
	②　預金の入出金に係る周辺業務の手数料である残高証明手数料及び口座維持管理手数料	 なります
非居住者円預金に係る手数料	金融機関に支払う次の非居住者円預金に係る手数料は、課税仕入れになりますか。 ①　外国為替取引又は対外支払手段の売買に係る資金の付替手数料	 非課税です
	②　預金の入出金に係る周辺業務の手数料である残高証明手数料及び口座維持管理手数料	 免税です
スワップ手数料	金利スワップ、通貨スワップ等スワップに係る対価である手数料の支払は、課税仕入れになりますか。	 非課税です

項　目	判定事例	課否判定
	参考 　スワップ取引はいずれも支払手段の譲渡として取り扱われますので、課税売上割合の計算上、分母・分子のいずれにも含めないこととなります。	
スワップ取引のあっせん手数料	金利スワップ、通貨スワップ等スワップ取引の媒介、あっせんに係る手数料の支払は、課税仕入れになりますか。	○ なります
スワップ取引の乗換手数料	市場金利や為替レートの著しい変動に伴い、従前のスワップを有利なスワップに変更した場合に支払う乗換手数料は、課税仕入れになりますか。	× 非課税です
金利補てん契約の手数料	将来、金利が上昇したときにその損失を補てんする旨の契約を締結した際に、借主が第三者に支払う金利補てん契約手数料は、課税仕入れになりますか。	× 非課税です
行政手数料	国、地方公共団体等に支払う、法令に基づく行政サービスの手数料は、課税仕入れになりますか。	× 非課税です
	国、地方公共団体等に支払う、法令に基づかない行政サービスの手数料は、課税仕入れになりますか。	○ なります
自動車保管場所証明書等の交付手数料	「自動車の保管場所の確保等に関する法律」の規定に基づく、自動車保管場所証明書及び保管場所標章の交付手数料の支払は、課税仕入れになりますか。	× 非課税です
公文書の写しの交付手数料	情報公開条例に基づき、地方公共団体に請求する公文書の写しの交付手数料の支払は、課税仕入れになりますか。	× 非課税です
公証人手数料	裁判所の執行官や公証人に支払う手数料は、課税仕入れになりますか。	× 非課税です

【第1編】　第2章　消費税の課否判定表――損益計算書科目【仕入・費用編】

項　目	判定事例	課否判定

【解約料】

項　目	判定事例	課否判定
キャンセル料、解約損害金	予約の取消し、変更等に伴って支払うキャンセル料、解約損害金は、課税仕入れになりますか。 **解説** 　逸失利益に対する損害賠償金であり、資産の譲渡に該当しないため、不課税取引となります。	 不課税です
解約手数料、取消手数料、払戻手数料等	契約等において、解約、取消し等の時期にかかわらず、一定額を手数料として支払うこととされている解約手数料、取消手数料、払戻手数料等の支払は、課税仕入れになりますか。 **解説** 　解約の請求に応じて行う役務の提供に係る対価として課税取引になります。 　なお、解約等に際して支払う金銭のうちに、 　①　逸失利益等に対する損害賠償金に相当する部分（不課税取引）と、 　②　役務の提供の対価である解約手数料等に相当する部分（課税取引） が含まれており、これらの対価の額が区分されていない場合には、その全体が不課税取引となります。	 なります
建物賃借のキャンセル料	建物の賃貸借契約の中途において解約した場合に支払うキャンセル料は、課税仕入れになりますか。	 不課税です
航空運賃のキャンセル料	航空機の搭乗予約の解約に際して支払う、次のキャンセル料は、課税仕入れになりますか。 　①　払戻しの時期に関係なく一定額を徴収される部分	 なります
	②　搭乗日前の一定日以後に解約した場合に徴収される割増しの違約金部分	 不課税です

項　目	判 定 事 例	課 否 判 定
ゴルフ場のキャンセル料	逸失利益の損害賠償金部分と解約に伴う事務手数料部分の両方が含まれている（区分されていない）ゴルフ場のキャンセル料（予約金の没収）の支払は、課税仕入れになりますか。	✕ 不課税です
指定金銭信託に係る中途解約手数料	指定金銭信託において契約を中途解約する場合に支払う中途解約手数料は、課税仕入れになりますか。	✕ 不課税です
リース取引の解約損害金 （平成20年3月31日以前に契約したリース取引）	リース取引に係る次の解約損害金等は、課税仕入れになりますか。 ①　リース物件の滅失により、リース業者に支払う規定損害金	✕ 不課税です
	②　廃業時など強制的に解約した場合に支払う逸失利益の補てんのための解約損害金	✕ 不課税です
	③　ファイナンス・リースにおいて、リース物件のバージョンアップ等を図るため、リース業者と合意の下に解約する場合の解約損害金 **参考** 　平成20年3月31日以前に契約した所有権移転外ファイナンス・リース取引は、消費税の取扱いにおいて、資産の貸付けとして取り扱われます。	◯ なります
金融商品を解約した場合の手数料	金融商品を解約等した場合の次の手数料は、課税仕入れになりますか。 ①　中期国債ファンドをクローズド期間内に証券会社に買い取ってもらうために支払う買取手数料（買取事務の取扱手数料）	◯ なります
	②　合同運用（指定）信託を中途解約した場合に信託銀行に支払う解約手数料（中途解約により信託銀行が被った損害に対する賠償）	✕ 不課税です

【第1編】　第2章　消費税の課否判定表——損益計算書科目【仕入・費用編】

項　目	判定事例	課否判定
モーゲージ証書に係る解約手数料	モーゲージ証書（抵当証券購入時に原券に代わり抵当証券会社から受け取るもの）について、買戻日前に買戻しの申し出を行った際に抵当証券会社に支払う解約手数料は、課税仕入れになりますか。	不課税です

【修繕費】

項　目	判定事例	課否判定
修繕費	破損した事業用資産を修理した際に支払う修理費用は、課税仕入れになりますか。	なります
修繕費（非課税売上げにのみ供する資産の修理）	居住用のマンションなど非課税売上げにのみ供する資産を修理した際に支払う修理費用は、課税仕入れになりますか。	なります

仕入控除税額の計算を個別対応方式で行う場合の区分は、「非課税売上げにのみ要するもの」になります。

項　目	判定事例	課否判定
修繕費（資本的支出に該当するもの）	資本的支出に該当する建物の修理に要した修理費用は、課税仕入れになりますか。	なります
修繕費（保険金により賄うもの）	自動車事故で破損した自動車について、受け取った保険金で支払った修理費用は、課税仕入れになりますか。	なります

解説
資産の譲受け等が課税仕入れに該当するかどうかは、その資産の譲受け等のために支出した金銭の源泉は問わないこととされています。

項　目	判定事例	課否判定
外航船の修理費用	外航船舶運行事業者が所有する外航船を、日本国内で修理した場合の次の修理費用は、課税仕入れになりますか。 ①　外航船舶運行事業者が直接修理業者に依頼したもの	免税です

項 目	判 定 事 例	課 否 判 定
	② 外航船舶運行事業者以外の事業者が修理業者に依頼したもの	○ なります

【広告宣伝費】

項 目	判 定 事 例	課 否 判 定
広告制作費	広告会社に広告の制作（企画、立案等）を依頼した場合に支払う広告宣伝費は、課税仕入れになりますか。	○ なります
広告用品の購入費	自ら行う広告宣伝のための商品、原材料等の購入費用は、課税仕入れになりますか。	○ なります
売場拡大の補てん金	自社の製品を専門に販売している事業者が、売場の拡大や改修を行った場合に支出する工事費用に係る次の補てん金は、課税仕入れになりますか。 ① 自社の広告宣伝用看板の取得のためのもので、補てん金との対価関係が明白なもの	○ なります
	② 補てん金に見合う役務の提供を受けないもの	× 不課税です
屋外看板	屋外の看板製作に係る次の費用は、課税仕入れになりますか。 ① 看板を立てるための土地の賃借料	× 非課税です
	② 壁面、電柱等の施設の利用料	○ なります
モデル報酬	所得税法上給与所得に該当しないモデル報酬は、課税仕入れになりますか。	○ なります

項　目	判　定　事　例	課　否　判　定
マネキン報酬	マネキン紹介所からマネキンの紹介を受けた際、紹介所を経由してマネキンに対して支払う報酬は、課税仕入れになりますか。	✕ 不課税です
	解説 　マネキンに対する報酬は、職務内容や対価の算出方法などから、所得税法上雇用関係に基づく給与所得に該当することとされています。	
マネキン紹介料	マネキン紹介所からマネキンの紹介を受けた際に紹介所に支払う紹介料は、課税仕入れになりますか。	◯ なります
課税資産と非課税資産の広告費	課税資産と非課税資産の両方の譲渡等がある事業者のイメージ広告や、課税資産と非課税資産の両方が掲載されているカタログの制作費は、課税仕入れになりますか。	◯ なります
	参考 　仕入控除税額の計算を個別対応方式で行う場合の区分は、「課税売上げ及び非課税売上げに共通して要するもの」になります。	
協賛金等	スポーツ大会等の催物の協賛者として、広告宣伝のために催物の主催者に対して協賛金等として交付する金品は、課税仕入れになりますか。	◯ なります
名義料	バザール等の催物を行う事業者が、多数の会員等を有する団体等に名目上の主催者となってもらう際に支払う名義料は、課税仕入れになりますか。	◯ なります
出演料等	広告宣伝のための催物を主催した際、出演者に支払う次の出演料は、課税仕入れになりますか。 ①　プロスポーツ選手、作家、俳優等事業者である者に対して支払うもの	◯ なります
	②　サラリーマンや主婦など事業者に該当しない者に対して支払うもの	◯ なります

項　目	判 定 事 例	課否判定
プリペイドカード等の購入費等	広告宣伝用に購入する次のプリペイドカード等物品切手の購入費用等は、課税仕入れになりますか。	
	① プリペイドカード等物品切手本体の購入費用	非課税です
	② 広告宣伝用の社名や図柄等の印刷費用	なります
	③ 既製の図柄入りのプリペイドカード等の購入費用	非課税です
	④ 広告宣伝用のプリペイドカード等を自社で使用した場合	なります

　プリペイドカード等の物品切手等は、原則として購入時には課税仕入れに該当せず、役務の提供等を受けた時に課税仕入れに該当することとされていますが、その物品切手等を購入した事業者自らが引換給付を受けることが明らかなものについて、継続適用を条件として購入時に課税仕入れとすることも認められています。

【荷造費等】

項　目	判 定 事 例	課否判定
運送料等	運送料、保管料及び倉庫料等に含まれる次の保険料は、課税仕入れになりますか。	
	① 保険会社と締結する保険契約の名義人が運送料等の支払者であり、運送業者等から運送料等としてまとめて請求された場合	なります
	② 保険会社と締結する保険契約の名義人が運送料等の支払者であり、運送業者等から保険料として別途請求された場合	非課税です

項　目	判定事例	課否判定
	③　保険会社と締結する保険契約の名義人が、荷送人から付保の委任を受けた運送業者となっている場合で、保険の効果が荷送人に帰属している実態にあり、運送業者等が立替金又は仮払金としているとき	不課税です
	④　保険会社と締結する保険契約の名義人が運送業者等である場合で、③以外の場合	なります
外国貨物の運送料等	外国貨物に係る次の運送料等は、課税仕入れになりますか。	
	①　外国貨物の荷役、運送、保管、検数、鑑定、検量、通関手続、青果物のくんじょう等に係る費用	免税です
	②　保税地域間の運送に係る運送料 外国貨物が特例輸出貨物（関税法第30条第1項第5号に規定するものをいいます。）である場合には、指定保税地域等及びその特例輸出貨物の輸出のための船舶又は航空機への積込みの場所における役務の提供並びに指定保税地域等相互間の運送に限り輸出免税の対象となります。	免税です
	③　国際輸送 国際輸送の一部に国内輸送が含まれている場合であっても、国際輸送の一環としてのものであることが契約において明らかであるときは、その全部が国際輸送に該当します。	免税です

項　目	判定事例	課否判定
海外への引越費用	海外赴任者の自宅から赴任地の住居までの引越費用の支払は、課税仕入れになりますか（荷物の輸送について、梱包、輸送、通関手続等を一括して依頼した場合）。	免税です

> **参考**
> この場合、日本国内で行う梱包作業等についても免税です。

【特許権使用料等】

項　目	判定事例	課否判定
特許権等使用料	次の特許権、実用新案権、意匠権、商標権、回路配置利用権又は育成者権の使用料は、課税仕入れになりますか。	
	①　国内で登録されたもの	なります
	②　2以上の国で登録されたもので、特許権者等の住所地（住所又は本店若しくは主たる事務所の所在地）が日本国内にあるもの	なります
	③　国外で登録されたもの	不課税です
特許権等のクロスライセンス	国内で登録された特許権等のクロスライセンスを等価で行う場合の使用料は、課税仕入れになりますか。	なります

> **参考**
> 特許権等（国内で登録されたもの）のクロスライセンスは、等価で行う場合及び差額決済で行う場合のいずれも課税取引となりますが、この場合の対価の額はその特許権等の実施権の時価（適正な見積価格）となります。

項　目	判定事例	課否判定
特許出願中の権利の使用料	次の特許出願中の権利の使用料は、課税仕入れになりますか。	

項　目	判定事例	課否判定
	①　貸付けを行う者の住所地（住所又は本店若しくは主たる事務所の所在地）が日本国内であるもの	▶ 〇 なります
	②　その他のもの	▶ ✕ 不課税です
著作権等使用料	次の著作権、出版権又は著作隣接権等の使用料は、課税仕入れになりますか。	
	①　譲渡又は貸付けを行う者の住所地（住所又は本店若しくは主たる事務所の所在地）が日本国内であるもの	▶ 〇 なります
	②　その他のもの	▶ ✕ 不課税です
技術指導料	国内において技術指導を受けた場合に支払う技術指導料は、課税仕入れになりますか。	▶ 〇 なります
ノウハウの使用料	次のノウハウ（特許に至らない技術、技術に関する附帯情報等）の使用料は、課税仕入れになりますか。	
	①　貸付けを行う者の住所地（住所又は本店若しくは主たる事務所の所在地）が日本国内であるもの	▶ 〇 なります
	②　その他のもの	▶ ✕ 不課税です

【交際費】

項　目	判定事例	課否判定
接待費	得意先を接待する場合の次の接待交際費は、課税仕入れになりますか。	

項　目	判定事例	課否判定
	①　飲食費、ゴルフ費用等	○ なります
	②　売出し等に際して、顧客を招待するために必要な旅費や宿泊費等	○ なります
	③　ゴルフ費用のうち請求書等でプレー代等と明確に区分されているゴルフ場利用税	✕ 不課税です
ゴルフクラブ等の入会金等	ゴルフクラブ、宿泊施設、体育施設、遊戯施設その他のレジャー施設を会員に利用させることを目的とするクラブ等の会員となった際に支払う次の入会金等は、課税仕入れになりますか。 ①　脱退等に際し返還されない入会金	○ なります
	②　脱退等に際し返還される入会金	✕ 不課税です
	③　会費等	○ なります
慶弔費	得意先やその役員等に対して支出する次の慶弔費は、課税仕入れになりますか。 ①　金銭で支給する祝金、見舞金、香典、せん別等	✕ 不課税です
	②　祝品、果物、生花、花輪等課税資産を贈る場合の購入費用	○ なります

【第1編】第2章　消費税の課否判定表——損益計算書科目【仕入・費用編】

項　目	判定事例	課否判定
贈答品費	得意先等に贈答するために支出する次の贈答品費は、課税仕入れになりますか。	
	①　酒、食料品等の課税資産を贈る場合のその購入費用	○ なります
	②　商品券、ビール券など物品切手類を贈る場合のその購入費用 解説 　物品切手類を得意先等に贈答する場合は、自ら引換給付を受けるものではないため、課税仕入れできません。	× 非課税です
仕立券付ワイシャツ生地	贈答用として購入した次の仕立券付ワイシャツ生地の購入代金は、課税仕入れになりますか。	
	①　仕立券と生地とが一体で販売されるもの	○ なります
	②　仕立券と生地が単体で販売されるもので、そのうち仕立券（物品切手等）に係る部分	× 非課税です
創業記念費用	創業記念式典等における宴会費、交通費及び記念品代（課税資産に係るもの）等は、課税仕入れになりますか。	○ なります
社屋新築記念費用	社屋新築の際に神官に支払うお祓いの費用は、課税仕入れになりますか。	× 不課税です

項　目	判定事例	課否判定
旅行招待費	得意先等を旅行に招待する際の次の費用（交通費、飲食費、宿泊費、土産代等）は、課税仕入れになりますか。	
	①　国内旅行	▶ ○ なります
	②　海外旅行	▶ ✕ 免税です
野球場のシーズン予約席料	野球場のボックスシートなどをシーズン予約する場合の予約料は、課税仕入れになりますか。	▶ ○ なります
チップ	運転手や女中等に金銭で支払ういわゆるチップは、課税仕入れになりますか。	▶ ✕ 不課税です
費途不明交際費	交際費、機密費等の名目で支出した金銭で、その費途が不明なものについては、課税仕入れになりますか。	▶ ✕ 不課税です
交際費	次の役員等に支給する交際費は、課税仕入れになりますか。	
	①　支給した金銭について精算し、その支出の事実が課税資産の譲受け等に係るものであること及び法人の業務に関連する費用であることが明らかである場合	▶ ○ なります
	②　支給した金銭について、その使途が不明であるもの又は法人の業務に関連する費用でないもの	▶ ✕ 不課税です
	③　後日精算しないこととしているもの	▶ ✕ 不課税です

【第1編】　第2章　消費税の課否判定表――損益計算書科目【仕入・費用編】

項　目	判定事例	課否判定
【備品・消耗品費等】		
プリペイドカード等	自社で使用するためのプリペイドカード等の購入費用は、課税仕入れになりますか。 **解説** 　プリペイドカード等の物品切手類については、本来、購入時ではなく、役務の提供等を受けた時にはじめて課税仕入れとなりますが、継続適用を条件として、購入時点で課税仕入れに計上することが認められています。	 なります
図書費	書籍、雑誌、新聞代等は、課税仕入れになりますか。	 なります
被服費	事務員や販売員等に有償又は無償で支給する事務服、作業着の購入費用は、課税仕入れになりますか。	 なります
作業服手当	作業服現物に代えて金銭で支給する作業服手当は、課税仕入れになりますか。	 不課税です
【貸倒損失】		
貸倒損失	課税資産の譲渡等に伴う売掛金、未収金等の債権について貸倒れが生じた場合は、課税仕入れになりますか。 **解説** 　課税資産の譲渡等における債権について生じた貸倒れに係る消費税額は、仕入税額控除の対象とするのではなく、貸倒れが生じた課税期間の課税売上げに係る消費税額から、その貸倒れに係る消費税額を直接控除（税額控除）します。 　なお、貸付金に係る貸倒れなど課税資産の譲渡等以外の債権について貸倒れが生じた場合は、税額控除及び仕入税額控除のいずれの対象にもなりません。	 別途、税額控除します
貸倒損失（免税事業者時の売上げに係るもの）	免税事業者当時の売掛金が課税事業者となった後に貸倒れとなった場合は、貸倒れが生じた課税期間の課税仕入れになりますか。	 不課税です

項　目	判定事例	課否判定
貸倒損失（免税事業者となった後に生じたもの）	免税事業者となった後に課税事業者当時の売掛金の貸倒れが生じた場合は、貸倒れが生じた課税期間の課税仕入れになりますか。	✕ 不課税です
貸倒損失（簡易課税適用者）	簡易課税制度を適用している事業者について、貸倒れ（課税資産の譲渡等に係るもの）が生じた場合には、貸倒れが生じた課税期間の課税仕入れになりますか。	✕ 別途、税額控除します

参考

　この場合、課税売上げに係る消費税額から控除するのではなく、課税売上げに係る消費税額からみなし仕入率を乗じて計算した仕入控除税額とみなされる金額を控除した後の金額から控除します。

【引当金・準備金】

項　目	判定事例	課否判定
貸倒引当金等	貸倒引当金、賞与引当金、退職給与引当金など各種引当金への繰入れは、課税仕入れになりますか。	✕ 不課税です
利益準備金等	利益準備金等各種準備金の積立ては、課税仕入れになりますか。	✕ 不課税です

【雑　費】

項　目	判定事例	課否判定
清掃費	事務所、工場等の清掃に係る次の費用は、課税仕入れになりますか。	
	①　清掃業者に委託した場合に支払う金銭	◯ なります
	②　清掃用に採用したパートに支払う賃金	✕ 不課税です
	③　清掃用具の購入費	◯ なります

【第1編】　第2章　消費税の課否判定表——損益計算書科目【仕入・費用編】

項　目	判　定　事　例	課　否　判　定
立退料	建物等の賃貸人が契約の解除に伴い賃借人に支払う立退料は、課税仕入れになりますか。 解説 　一般的に立退料には、①消滅する権利に対する補償としての性格、②収益に対する補償としての性格、③移転費用の補償としての性格がありますが、これらについては、いずれも資産の譲渡等には該当しません。	✕ 不課税です
近隣対策費	マンション等の建築に当たり支出する次の近隣対策費は、課税仕入れになりますか。 ①　周辺住民に金銭で支払う近隣対策費（工事迷惑料、日陰補償料、自治会協力費、電波障害補償料等）	✕ 不課税です
	②　周辺住民に対して交付する贈答品（課税資産）の購入費	◯ なります
社葬費用	役員等の死去に伴い社葬を行った場合の次の費用は、課税仕入れになりますか。 ①　会社が業者に直接支払う会場使用料、花輪代、新聞広告料等	◯ なります
	②　僧侶に支払うお布施、戒名料等	✕ 不課税です
【営業外損失】		
罰則金	営業担当者が営業中に営業用車両で駐車違反をした際に、会社が負担した交通反則金（駐車違反）は、課税仕入れになりますか。	✕ 不課税です
	上記の駐車違反により、車両がレッカー移動され、そのレッカー移動料及び保管料を負担した場合は、課税仕入れになりますか。	✕ 不課税です

項 目	判定事例	課否判定
	違法駐車車両について、警察署長が移動、保管、公示等の措置を行った場合、これらの措置に要した費用を徴収することとされていますが、これは往来の妨げとなる違法駐車車両を移動しなければならなかったことに対する一種の損害賠償と認められるものですから、資産の譲渡等の対価には該当しません。 参考 　警察の依頼を受け、事業者が行うレッカー移動及び保管は課税資産の譲渡等に該当します。	
支払利息・割引料	支払利息及び割引料は、課税仕入れになりますか。 →61ページ（受取利息）参照	非課税です
キャップローン手数料	キャップローン契約における手数料（上限金利設定手数料）は、課税仕入れになりますか。 解説 　キャップローン契約とは、貸出金利を市場金利と連動する変動金利とし、かつ、金利の最高限度を定めて貸出しを行うものです。 　上限金利設定手数料は、実質的には金銭の貸付けに伴う利子と認められるので、非課税となります。	非課税です
金地金相場に伴う金銭貸付け	貸付日において金地金100kgの相場価格に相当する金銭を貸し付け、返却日の金地金100kgの相場価格に相当する金銭の返却及び利子の支払を受ける金銭貸付契約を行った際、損失が発生する場合がありますが、この損失は課税仕入れになりますか。 ①　返済元本の場合	不課税です
	②　利子部分の場合	非課税です

項　目	判定事例	課否判定
売上割引	課税資産の譲渡等を行い、支払期日よりも前に支払を受けたこと等を基因として支払う売上割引は、課税仕入れになりますか。 **解説** 売上げに係る対価の返還等に該当します。	✕ 売上対価の返還です
有価証券売却損	有価証券売却損を計上した場合は、課税仕入れになりますか。 **参考** 売却損は不課税ですが、有価証券の譲渡は非課税売上げに該当します。 有価証券の譲渡　→44ページ参照	✕ 不課税です
有価証券評価損	有価証券評価損を計上した場合は、課税仕入れになりますか。 **解説** 内部取引に該当し、資産の譲渡等には該当しません。	✕ 不課税です
棚卸商品評価損	棚卸商品評価損を計上した場合、課税仕入れになりますか。 **解説** 内部取引に該当し、資産の譲渡等には該当しません。	✕ 不課税です
償還差損	償還差損は、課税仕入れになりますか。 **解説** 受取利息のマイナスとなります。	✕ 非課税です
為替差損	為替差損は、課税仕入れになりますか。	✕ 不課税です
負担金	水道施設利用権等具体的な使用権等の取得に係る受益者負担金は、課税仕入れになりますか。 **解説** 水道施設利用権のほかに、専用側線利用権、電気ガス供給施設利用権、電気通信施設利用権等が該当します。	〇 なります

項　目	判定事例	課否判定
	具体的な使用権等の取得を意味しない単なる反射的利益に対する受益者負担金は、課税仕入れになりますか。	✕ 不課税です
ゴルフ会員権の買取消却	ゴルフ会員権を一部買取消却した場合の当該会員権の買取りは、課税仕入れになりますか。	〇 なります
雑損失	現金残高と現金出納帳等との残高の差額（現金不足額）は、課税仕入れになりますか。	✕ 不課税です

【特別損失】

項　目	判定事例	課否判定
固定資産除却損	固定資産について、廃棄、火災、盗難又は滅失があった場合に計上する除却損は、課税仕入れになりますか。	✕ 不課税です
雑損失	建設中の建物に要する資材等が天災等の不可抗力により滅失した際、建設工事の発注者が契約に基づき損害額を負担した場合は、課税仕入れになりますか。	〇 なります
立退料	次の立退料は課税仕入れになりますか。 ①　賃貸借の目的とされている建物の契約の解除に伴い、賃借人に支払う立退料 解説 　次の性格を有する立退料は不課税となります。 　イ　賃借権の消滅に対する補償としての性格 　ロ　収益補償としての性格 　ハ　移転費用の補償としての性格	✕ 不課税です
	②　解除されていない賃貸借契約の賃借人から譲り受けた賃借権の対価として支払う立退料	〇 なります
損害賠償金	次の損害賠償金の支払は、課税仕入れになりますか。	

【第1編】　第2章　消費税の課否判定表──損益計算書科目【仕入・費用編】

135

項　目	判定事例	課否判定
	①　貨物の輸送中の事故によりその貨物を納品先に引き取ってもらえないとき、荷主に対し、その貨物の取引価格の全額を損害賠償金として支払うこととなった場合	不課税です
	解説 　心身又は資産につき加えられた損害の発生による損害賠償金は、一般的には対価性がないので課税対象外となります。	
	②　①のような場合で、その貨物がそのまま又は軽微な修理を加えて使用が可能な場合	なります
	③　無体財産権の侵害をした代価として、権利の使用料部分について支払った場合	なります
	④　不動産の明渡しが遅滞したことにより支払う賃貸料相当部分	なります
損害賠償金（品質不良等によるもの）	品質の不良、相違、破損、納期遅延等のクレームにより支払う損害賠償金は、課税仕入れになりますか。	
	①　売上げの値引きと認められる場合	売上対価の返還です
	解説 　売上げに係る対価の返還等に該当します。	
	②　売上げの値引きと認められない場合	不課税です
	③　販売店がメーカーに代わってクレーム処理を行ったとき、メーカーが販売店に支払う賠償金の場合	なります
原因者負担金	他者の施設を損傷した場合に支払う損傷回復のための原因者負担金は、課税仕入れになりますか。	不課税です

項　目	判定事例	課否判定
弁護士費用	課税対象外となる損害賠償金を得るために要した弁護士費用は、課税仕入れになりますか。	なります

解説
仕入控除税額の計算を個別対応方式で行う場合の区分は、「課税売上げ及び非課税売上げに共通して要するもの」になります。

【輸入取引】

項　目	判定事例	課否判定
課税資産の輸入	商品、製品など課税資産の保税地域からの引取り（輸入）は、課税対象となりますか。	なります

 参考
この場合の課税標準は、関税課税価格（C.I.F価格）に関税額及び消費税及び地方消費税以外の個別消費税の額を加算した額となります。

項　目	判定事例	課否判定
非課税資産の輸入	身体障害者用物品など非課税資産の輸入は、課税対象となりますか。	非課税です

 参考
輸入に係る非課税資産は、次のとおりです。
① 有価証券等
② 郵便切手類
③ 印紙・証紙
④ 物品切手等
⑤ 身体障害者用物品
⑥ 教科用図書

項　目	判定事例	課否判定
消費者が行う輸入	事業者でないサラリーマンが自己の用に供する外国貨物を輸入する行為は課税対象になりますか。	なります

 参考
輸入取引については、消費者や免税事業者が行ったものであっても、一定金額以下の携帯輸入など、特に免税規定に該当する場合を除き課税対象となります。

項　目	判定事例	課否判定
無体財産権の輸入	工業所有権等の無体財産権の輸入は、課税対象となりますか。	不課税です

項　目	判定事例	課否判定
	解説 　輸入取引については、貨物のみが課税の対象となりますので、無体財産権そのものの外国からの輸入は課税されません。 　したがって、無体財産権を伴う貨物が輸入された場合には、貨物に係る部分のみが課税となります。 　ただし、無体財産権の使用に伴う対価の支払がその貨物の輸入取引の条件となっている場合は、その対価の額を含みます。	
国外に支払う技術使用料等	国外からの技術導入に伴って支払われる技術使用料、技術指導料は課税対象になりますか。 **解説** 　貨物の輸入には該当しませんので、輸入取引としての課税対象にはなりません。	 不課税です
無償での輸入	商品、製品など課税資産を無償で輸入する行為は、課税対象となりますか。 **解説** 　輸入の場合は、たとえ無償であっても消費税は課税されます。 　なお、この場合の課税標準は、関税課税価格（C.I.F価格）に関税額及び消費税及び地方消費税以外の個別消費税を加算した額（1万円以下の場合は免税）となります。	 なります
書籍の輸入	次の書籍の輸入は、課税対象となりますか。 ① 関税の課税価格が1万円以下の場合	 免税です
	② 関税の課税価格が1万円を超え、その輸入した書籍が記録文書その他の書籍（本、定期刊行物、新聞等）である場合	 免税です
	③ 関税の課税価格が1万円を超え、その輸入した書籍が絵本、絵画集、写真集である場合	 なります

項　目	判定事例	課否判定
公海上での魚類の買付け	公海上で外国の漁船が捕獲した魚類を買い付け、国内に搬入する行為は、課税対象になりますか。	○ なります
輸出物品（展示用）の国内への引取り	外国で展示用に供する目的で輸出された物品を国内に引き取る行為は、課税対象になりますか。 解説 　国内から輸出した物品が返品され、国内に引き取られる場合に、物品について輸出許可の際の性質及び形状が変わっていないものとして関税が免除されるものは、消費税も免除されます。	× 免税です
輸出物品の返品	輸出した物品が、仕様の違い、製品の瑕疵等の原因により国内に引き取られるものは、輸入として課税対象になりますか。 解説 　製品の瑕疵等の原因により、輸入の際の関税が免除されるものは、消費税も免除されます。	× 免税です
再輸出物品の輸出	輸出した物品が修繕のために輸入され、輸入許可の日から1年以内に再び輸出される再輸出物品の輸出は、課税売上げになりますか。	× 免税です
保税地域での外国貨物の消費	保税地域において外国貨物を消費した場合は、課税対象となりますか。 解説 　消費した時に外国貨物を保税地域から引き取るものとみなされ、消費税が課税されます。	○ なります
輸入物品の割戻し	外国メーカー等から商品を輸入し、その一部代金を割戻しとして受け取った場合の割戻金は、課税売上げとなりますか。 解説 　輸入した商品の支払対価の返還に該当しますが、引取り時の課税標準が修正されるものではありませんから、引取りに係る消費税額を調整する必要はありません。	× 不課税です

【第1編】第2章　消費税の課否判定表──損益計算書科目【仕入・費用編】

2 貸借対照表科目

項　目	判　定　事　例	課　否　判　定

【流動資産】

| 現金 | 両替及び支払手段の譲渡は、課税売上げになりますか。 | ✕ 非課税です |

> **参考**
>
> 　課税売上割合を計算する際は、分母の額に含めません。
> 　なお、支払手段とは、例えば、銀行券、政府紙幣、硬貨、小切手及び約束手形等をいいます。

| 暗号資産 | 暗号資産の譲渡（仕入）は、課税売上げ（課税仕入れ）になりますか。 | ✕ 非課税です |

> **解説**
>
> 　平成29年7月1日以後に国内において事業者が行う資産の譲渡等及び課税仕入れが適用されます。
> 　なお、課税売上割合を計算する際は、分母の額に含めません。

| 現金（収集品及び販売用） | チケットショップ等で販売する収集品及び販売用の支払手段の譲渡は、課税売上げになりますか。 | ◯ なります |

| 預貯金 | 預貯金の譲渡は、課税売上げになりますか。 | ✕ 非課税です |

| 受取手形 | 受取手形の譲渡は、課税売上げになりますか。 | ✕ 非課税です |

項　目	判定事例	課否判定
	参考 受取手形の譲渡　→45ページ参照	
売掛金	売掛金の譲渡は、課税売上げになりますか。 **参考** 売掛金の譲渡　→45ページ参照	✕ 非課税です
有価証券	有価証券の譲渡は、課税売上げになりますか。 **参考** 有価証券等の譲渡　→44ページ参照	✕ 非課税です
商品、製品、仕掛品等	商品、製品、仕掛品、原材料、貯蔵品等の譲渡又は譲受けは、課税売上げになりますか。	○ なります
前渡金	商品を注文した際に支払う前渡金は、課税仕入れになりますか。 **参考** 商品の引渡しを受けたときに課税仕入れになります。	✕ 不課税です
短期貸付金	金銭の貸付けは、課税取引になりますか。 **参考** 貸付けに伴い受け取る利子は、非課税売上げです。	✕ 不課税です
未収金	固定資産を売却した際に発生した未収金を受け取った場合は、課税売上げになりますか。 **参考** 固定資産を引き渡した時に課税売上げになります。	✕ 不課税です

【第1編】　第2章　消費税の課否判定表── 貸借対照表科目

項　目	判定事例	課否判定
仮払金	出張旅費を立て替えた場合の仮払金は、課税仕入れになりますか。	✕ 不課税です
立替金	従業員が負担すべき社会保険料を立替払いした場合は、課税仕入れになりますか。	✕ 不課税です
前払費用	本社事務所の家賃を前払いした場合は、課税仕入れになりますか。 解説 　原則的には不課税取引ですが、1年以内の前払費用で、法人税基本通達2－2－14《短期の前払費用》の適用を受けているものは、支出した期間の課税仕入れになります。	✕ 不課税です

【有形固定資産】

項　目	判定事例	課否判定
土地	土地の譲渡は、課税売上げになりますか。 参考 土地等の譲渡　→41ページ参照	✕ 非課税です
建物（居住用賃貸建物を除く）、構築物、機械装置、車両運搬具等	建物（居住用賃貸建物を除きます。）、建物付属設備、構築物、機械装置、車両運搬具等の譲渡又は譲受けは、課税取引になりますか。 参考 　資産購入に付随する費用で、不動産取得税、自動車税環境性能割、登録免許税等の租税公課は不課税です。	◯ なります
建物（居住用賃貸建物）	建物（居住用賃貸建物）の譲渡又は譲受けは、課税取引になりますか。 解説 　一定の居住用賃貸建物に係る課税仕入れ等の税額については、仕入税額控除の対象となりません。	◯ なります

項　目	判 定 事 例	課 否 判 定
社屋の建設代金	社屋を建設した際の建設費は、課税仕入れになりますか。 **解説** 　減価償却資産は、その資産の取得時の課税仕入れとなります。 **参考** 　建物購入に係る仲介手数料は、課税仕入れになります。	◯ なります
建物購入の際の借入金の利子	建物購入の際に購入価格に算入された借入金の利子は、課税仕入れになりますか。	✕ 非課税です
建設仮勘定	建設工事に係る目的物の完成前に行った課税仕入れ等の金額について建設仮勘定として経理していた場合でも、目的物の一部について引渡しを受けたときは、課税仕入れになりますか。 **解説** 　142ページ「建物（居住用賃貸建物）」の解説を参照してください。	◯ なります
備品等の購入	工具、器具、備品の購入は、課税仕入れになりますか。	◯ なります
	海外から輸入した備品は、課税仕入れになりますか。 **解説** 　外国貨物の引取りに該当します。	◯ なります
書画・骨董の購入	社屋に飾るために購入した絵画の購入は、課税仕入れになりますか。	◯ なります
	購入した絵画を納品するために支払った運送保険料は、課税仕入れになりますか。	✕ 非課税です

【第1編】 第2章 消費税の課否判定表── 貸借対照表科目

143

項　目	判定事例	課否判定
リース用資産の取得	リース用資産（事業用資産）の購入は、課税仕入れになりますか。 **参考** 購入した日の属する課税期間で全額が課税仕入れになります。	 なります

【無形固定資産】

項　目	判定事例	課否判定
営業権の譲渡等	営業権の譲渡又は貸付けは、課税売上げになりますか。 **参考** 営業権には、例えば、繊維工業における織機の登録権利、許可漁業の出漁権、タクシー業のナンバー権等も含まれます。	 なります
工業所有権の譲渡等	特許権、実用新案権、意匠権、商標権等の譲渡又は実施権の設定は、課税売上げになりますか。	 なります
鉱業権等の譲渡等	鉱業権、土石採取権、温泉利用権等の譲渡又は貸付けは、課税売上げになりますか。 **参考** 借地権や耕作権など土地の使用収益に関する権利の譲渡等は非課税ですが、鉱業権や土石採取権等は土地の使用収益に関する権利に該当しませんので、課税の対象となります。	 なります
借地権等の譲渡等	借地権、耕作権の譲渡又は設定は、課税売上げになりますか。	 非課税です

【投　資】

項　目	判定事例	課否判定
信託	信託契約に基づき財産を信託会社に移転する行為（信託の設定）は、課税仕入れになりますか。	 不課税です

項　目	判 定 事 例	課 否 判 定
出資金	協同組合などに出資した場合の出資金の支出は、課税仕入れになりますか。	✕ 不課税です
	他社の持分の出資金の購入は、課税仕入れになりますか。	✕ 非課税です
ゴルフ会員権の取得	次のゴルフ会員権の取得等に係る費用は、課税仕入れになりますか。	
	①　入会金や預託金等の支払（返還されるもの）	✕ 不課税です
	②　入会金や預託金等の支払（返還されないもの）	◯ なります
	③　売買の際の仲介手数料の支払	◯ なります
	④　名義書換料の支払	◯ なります
ゴルフ会員権の譲渡	法人が行うゴルフ会員権の譲渡は、課税売上げになりますか。	◯ なります

参考

　個人事業者が所有するゴルフ会員権は、会員権販売業者が保有している場合には棚卸資産に当たり、その譲渡は課税の対象となりますが、その他の個人事業者が保有している場合には生活用資産に当たり、その譲渡は課税の対象となりません。

　また、会員権販売業者以外の個人事業者のゴルフ会員権の購入は、生活用資産の購入であり、事業として行ったものではないため、個人事業者の課税仕入に該当しません。

【第1編】　第2章　消費税の課否判定表――貸借対照表科目

項　目	判定事例	課否判定
	【繰延資産】	
創業費	創業費として支出した次の費用（給与等不課税取引に係るものを除きます。）は、課税仕入れになりますか。 ① 定款等作成のための費用 ② 株券などの印刷費用 ③ 創立事務所の賃借料 ④ 金融機関、証券会社の取扱手数料 ⑤ 創立総会に関する費用など 解説 　繰延資産には、創立費のほか建設利息、開業費、試験研究費、開発費、新株発行費、社債発行差金等が含まれます。 　また、①自己が便益を受ける公共的施設又は共同的施設の設置又は改良のために支出する費用、②資産を賃借し又は使用するために支出する権利金、立退料等、③役務の提供を受けるために支出する権利金等、④製品等の広告宣伝用に供する資産を贈与したことにより生ずる費用等で、支出の効果がその支出の日以後1年以上に及ぶものも繰延資産となります。 　その者が、課税事業と非課税事業を兼業し、仕入控除税額の計算につき個別対応方式を採用している場合は、「課税売上げ及び非課税売上げに共通して要するもの」になります。	 なります
創業費に含まれる給与等	創業費の内訳に給料、賃金が含まれている場合は、その給料、賃金も課税仕入れになりますか。 解説 　登録免許税、印紙税等の租税公課等が含まれている場合、租税公課等は不課税、支払利子、保険料等が含まれている場合、これらのものは非課税となります。	 不課税です
社債発行差金	社債発行差金は課税仕入れになりますか。 解説 　社債発行差金は発行価額と償還金額との差額であり、法人税法上は負債の利子に準ずるものです。	 非課税です

項　目	判　定　事　例	課　否　判　定
水道施設利用権の取得に係る負担金	水道施設利用権の取得に係る負担金は、課税仕入れになりますか。 解説 　自己が便益を受ける公共的施設又は共同的施設の設置又は改良のために支出する費用で、支出の効果がその支出の日以後1年以上に及ぶものに該当します。 　負担金等が、資産の譲渡等に係る対価であるかどうかは、負担金等と事業の実施に伴う役務の提供との間に、明白な対価関係があるかどうかにより判断します。 　したがって、不課税となるものもあります。	○ なります
権利金	建物を賃借するために支出する権利金は、課税仕入れになりますか。	○ なります
ノウハウの頭金	ノウハウの設定契約に際して支出する一時金又は頭金等は課税仕入れになりますか。	○ なります
広告宣伝用資産取得のための助成金	得意先に対して、自社商品ブランド名又は商標等の表示を条件として、看板等の取得のための助成金を支出する場合は、課税仕入れになりますか。	○ なります
	得意先に寄附するために自社のブランド名を表示した陳列棚等を仕入れる場合は、課税仕入れになりますか。	○ なります
【流動負債】		
前受金	棚卸資産を販売する際に、代金の一部として前もって受け取った前受金は、課税売上げになりますか。	× 不課税です
預り金	取引先から預かった営業保証金は、課税売上げになりますか。	× 不課税です

第2編
第1章 消費税軽減税率制度・適格請求書等保存方式の概要

　ここでは、消費税軽減税率制度及び適格請求書等保存方式について解説します。

1 消費税軽減税率制度の概要

　消費税及び地方消費税（以下「消費税等」といいます。）の税率は、令和元年10月1日に8％（うち地方消費税率は1.7％）から10％（うち地方消費税率は2.2％）に引き上げられました。

　また、これと同時に、10％への税率引上げに伴う低所得者への配慮の観点から、「酒類・外食を除く飲食料品」と「定期購読契約が締結された週2回以上発行される新聞」を対象に、消費税の軽減税率制度が実施されています。

　なお、軽減税率は、軽減税率対象品目を譲渡した時に適用されます。

　軽減税率制度の概要をまとめると次のとおりです。

税率	適用時期／区分	令和元年9月30日まで	令和元年10月1日から	
			軽減税率	標準税率
	消　費　税　率	6.3%	6.24%	7.8%
	地方消費税率	1.7%	1.76%	2.2%
	合　　計	8.0%	8.0%	10.0%

軽減税率の対象品目	・飲食料品（外食・酒類は含みません。） ・週2回以上発行される新聞（定期購読契約に基づくもの）	
事業者における対応	・売上げ・仕入れ（経費）を税率ごとに区分経理 ・区分経理に対応した請求書等の交付・保存	
仕入税額控除の要件	令和元年9月30日まで	・帳簿及び請求書等の保存
	令和元年10月から	・帳簿及び区分記載請求書等の保存
	令和5年10月から	・帳簿及び適格請求書等の保存

【第2編】 第1章 消費税軽減税率制度・適格請求書等保存方式の概要

2 軽減税率の対象品目

1. 飲食料品の範囲等

(1) 飲食料品

　軽減税率の対象品目である「飲食料品」とは、食品表示法に規定する食品（酒税法に規定する酒類を除き、以下「食品」といいます。）をいい、「食品」と「食品以外」の資産があらかじめ一の資産を形成し、又は構成しているもの（その一の資産に係る価格のみが提示されているものに限り、以下「一体資産」といいます。）のうち、一定の要件を満たすものも含みます。なお、ここでいう「飲食物」とは、人の飲用又は食用に供されるものをいいます。

　この「食品」とは、全ての飲食物をいい、「医薬品、医療機器等の品質、有効性及び安全性の確保等に関する法律」に規定する「医薬品」、「医薬部外品」及び「再生医療等製品」を除き、食品衛生法に規定する「添加物」を含むものとされています。

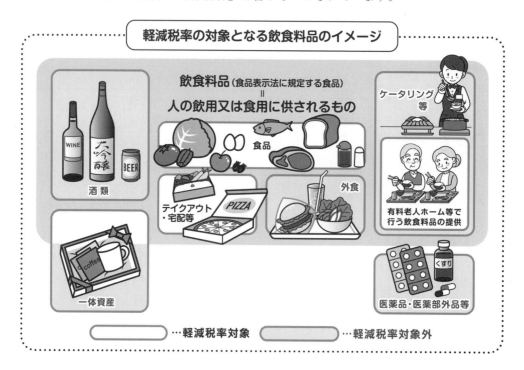

> **参考** 食品表示法（平成25年法律第70号）第2条第1項
> この法律において「食品」とは、全ての飲食物（医薬品、医療機器等の品質、有効性及び安全性の確保等に関する法律（昭和35年法律第145号）第2条第1項に規定する医薬品、同条第2項に規定する医薬部外品及び同条第9項に規定する再生医療等製品を除き、食品衛生法第4条第2項に規定する添加物（第4条第1項第1号及び第11条において単に「添加物」という。）を含む。）をいう。

(2) 飲食料品から除かれるもの（軽減税率の対象とならないもの）

イ　酒類

　酒税法に規定する「酒類」は、軽減税率の対象となる「食品」から除かれています。このため、食品の製造原料として「酒類」を販売する場合であっても軽減税率の対象となりません。

> **参考** 酒税法に規定する酒類
> アルコール分1度以上の飲料（飲用に供し得る程度まで水等を混和してそのアルコール分を薄めて1度以上の飲料とすることができるものや水等で溶解してアルコール分1度以上の飲料とすることができる粉末状のものを含みます。）

ロ　医薬品、医薬部外品等

　「医薬品、医療機器等の品質、有効性及び安全性の確保等に関する法律」に規定する「医薬品」、「医薬部外品」及び「再生医療等製品」は、食品表示法上の「食品」から除かれていますので、軽減税率の対象となりません。

ハ　外食

　飲食店営業等、食事の提供を行う事業者が、テーブル・椅子等の飲食に用いられる設備がある場所において、飲食料品を飲食させる役務の提供は、軽減税率の対象となりません。

ニ　ケータリング・出張料理など

　相手方が指定した場所において行う、加熱、調理又は給仕等の役務を伴う飲食料品の提供は、原則、軽減税率の対象となりません。

(3) 飲食料品を販売する際に使用される包装材料等

　飲食料品の販売に使用される包装材料及び容器（以下「包装材料等」といいます。）が、その販売に付帯して通常必要なものとして販売に使用されるものである時は、その包装材料等も含め軽減税率の対象となる「飲食料品の譲渡」に該当します。

　ここでの通常必要なものとして販売に使用される包装材料等とは、その飲食料品の販売に付帯するものであり、通常、飲食料品が費消され又はその飲食料品と分離された場合に不要となるようなものが該当します。例えば、ジュースなどの飲料を販売するときの容器である缶やペットボトル、精肉や魚などを販売するときのトレイなどは、包装材料等に該当します。

　なお、贈答用の包装など、包装材料等につき別途対価を定めている場合のその包装材料等の譲渡は、「飲食料品の譲渡」には該当しません。

　また、例えば、陶磁器やガラス食器等の容器のように飲食の用に供された後において、食器や装飾品として利用できるものを包装材料等として使用しており、食品とその容器をあらかじめ組み合わせて一の商品として価格を提示し販売しているものについては、その商品は「一体資産」に該当し、一定の要件を満たすものに限り軽減税率が適用されます。

(4) 飲食料品の輸入取引

　保税地域から引き取られる課税貨物のうち、「飲食料品」に該当するものについては、軽減税率が適用されます。

　課税貨物が「飲食料品」に該当するか否か（軽減税率の対象となるか否か）は、輸入の際に、人の飲用又は食用に供されるものとして輸入されるか否かにより判定します。

2．一体資産

(1) 一体資産

「一体資産」とは、次のいずれにも該当するものをいい、「一体資産」の譲渡は、原則、軽減税率の対象とはなりません。

> ① 食品と食品以外の資産があらかじめ一の資産を形成し、又は構成しているもの
> ② 一の資産の価格のみが提示されているもの

しかしながら、次のいずれにも該当する場合は、飲食料品の譲渡として、その全体が軽減税率の対象となります。

> A 一体資産の譲渡の対価の額（税抜価格）が１万円以下であること
> B Ａのうち食品に係る部分の価額の占める割合として、合理的な方法により計算した割合が３分の２以上であること

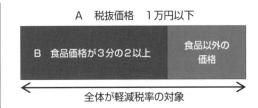

(2) 一の資産の価格のみが提示されている場合

一体資産は、上記(1)①及び②のいずれにも該当するものに限られますので、例えば、次のような場合は、食品と食品以外の資産が一の資産を形成し、又は構成しているものであっても、「一体資産」に該当しません。

① 食品と食品以外の資産を組み合わせて詰め合わせ商品として、個々の商品の価格を内訳として提示している場合

② 商品の価格を提示して販売しているか否かにかかわらず、食品と食品以外の資産を、顧客が自由に組み合わせて販売している場合

(3) １万円以下の判定の単位

税抜販売価額が１万円以下であるかどうかは、一体資産の販売ごと、つまり、セット商品の１個当たりで判定します。

> **１万円以下の判定の単位の計算例**
>
> コーヒーとティーカップをセット商品として、100個単位で100,000円（税抜き）で販売
> セット商品１個当たりの販売価額
> 100,000円÷100個＝1,000円
> 一体資産の譲渡の対価の額（税抜価額）は10,000円以下となります。

(4) 食品に係る部分の割合として合理的な方法により計算した割合

「食品に係る部分の価額の占める割合として合理的な方法により計算した割合」とは、事業者の販売する商品や販売実態等に応じ、例えば、次の割合など、事業者が合理的に計算した割合であれば、これによって差し支えありません。

> ① 一体資産の譲渡に係る売価のうち、合理的に計算した食品の売価の占める割合
> ② 一体資産の譲渡に係る原価のうち、合理的に計算した食品の原価の占める割合

原価に占める割合の計算方法例

コーヒーとカップの一体資産
販売価格（税抜き）：1,000円
仕入価格（税込み）：コーヒー550円、マグカップ200円

したがって、この商品は、
　A　一体資産の譲渡の対価の額（税抜価額）が1万円以下（1,000円）
　B　食品に係る部分の割合が3分の2以上（73.3％）

この場合は、上記②に示した計算方法によって計算し、その結果、食品に係る部分の割合が3分の2以上であるものに該当します。

　コーヒー(食品)の原価　　一体資産の譲渡の原価　　一体資産の譲渡の原価のうち、食品の占める割合
　　　550円　　　　／　　　　750円　　　　≒　　73.3％　　≧　$\frac{2}{3}$（66.666…％）

以上のことから、「飲食料品の譲渡」に該当し、軽減税率の対象となります。

(5) 合理的な割合が不明な場合（小売事業者等）

小売業や卸売業等を営む事業者が、一体資産に該当する商品を仕入れて販売する場合において、販売する対価の額（税抜価額）が1万円以下であれば、その課税仕入れのときに仕入先が適用した税率をそのまま適用して差し支えありません。

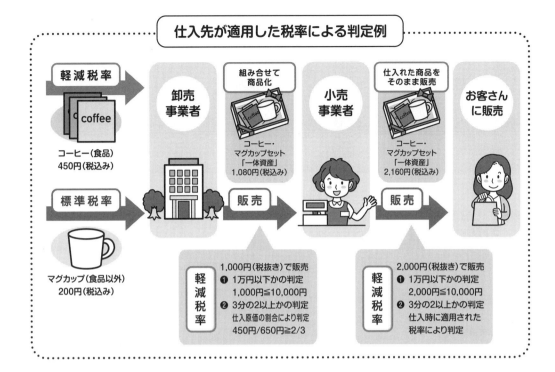

(6) 一括譲渡

　スーパーなどのレジで、食品と食品以外の商品を一括して販売（以下「一括譲渡」といいます。）した場合には、その商品が「食品」であれば軽減税率、「食品以外」のものであれば標準税率が適用されます。

　このような取引の合計額から一括して値引きを行う場合（例えば、レジで割引券300円の値引きをする場合など）には、原則、適用税率ごとに合理的に区分して、値引後の額を算出する必要があります。

3．新聞の範囲

　軽減税率の対象となる「新聞の譲渡」とは、一定の題号を用い、政治、経済、社会、文化等に関する一般社会的事実を掲載する週2回以上発行される新聞の定期購読契約に基づく譲渡をいいます。

(1) 週2回以上の発行

　軽減税率の対象となる「週2回以上発行される新聞」とは、通常の発行予定日が週2回以上とされている新聞をいいます。

(2) 定期購読契約

　定期購読契約とは、その新聞を購読しようとする者に対して、その新聞を定期的に継続して供給することを約する契約をいいます。

3 外食等の範囲

1．外食

「外食」は、軽減税率の対象となりません。ここでいう「外食」とは、飲食店業等の事業を営む者が行う食事の提供をいい、次の①、②の要件をいずれも満たすものをいいます。

① 場所要件
　テーブル、椅子、カウンターその他の飲食に用いられる設備（以下「飲食設備」といいます。）のある場所
② サービス要件
　飲食料品を飲食させる役務の提供
　具体例としては、レストランやフードコートでの食事の提供が「外食」に該当します。

参考
- 飲食店業等の事業を営む者が行う食事の提供
　飲食店業等の事業を営む者が行う食事の提供には、飲食料品をその場で飲食させる事業を営む者が行う全ての食事の提供が該当します。
　したがって、食品衛生法上の飲食店営業や喫茶店営業を営む者が行うものでなくても、①「場所要件」、②「サービス要件」を満たす場合が、「外食」に該当します。
- 飲食設備
　飲食設備とは、飲食に用いられる設備であれば、その規模や目的を問いません。
　例えば、テーブルのみ、椅子のみ、カウンターのみ若しくはこれら以外の設備又は飲食目的以外の施設等に設置されたテーブル等であっても、これらの設備が飲食に用いられるのであれば、飲食設備に該当します。
　また、飲食料品を提供する事業者と飲食設備を設置・管理する者が異なっていても、両者の合意等に基づき、顧客に利用させることとしている場合は、飲食設備に該当します。

2．テイクアウト（持ち帰り販売）

「テイクアウト（持ち帰り販売）」など、飲食料品を持ち帰りのための容器に入れ、又は包装を施して行う販売は、単なる「飲食料品の譲渡」に該当し、軽減税率の対象となります。

「外食」に該当するか、「テイクアウト（持ち帰り販売）」に該当するかどうかは、飲食料品を販売する時点（取引を行う時点）で、顧客に意思確認を行うなどの方法によって判定します。

　なお、顧客への意思確認は、事業者が販売している商品や事業形態に応じた、適宜の方法で行っていただくこととなります。

3．出前・宅配

　「出前・宅配」などは、指定された場所での加熱、調理又は給仕等が伴わない、単に飲食料品を届けるだけであるため、「飲食料品の譲渡」に該当し、軽減税率の対象となります。

4．ケータリング・出張料理

　「ケータリング」、「出張料理」などは、顧客が指定した場所において行う加熱、調理又は給仕等の役務を伴う飲食料品の提供であり軽減税率の対象となりません。

　ここでいう、「加熱、調理又は給仕等の役務を伴う」とは、相手方が指定した場所で、飲食料品の提供を行う事業者が食材等を持参し、調理して提供するものや、調理済みの食材をその指定された場所で加熱して温かい状態で提供する場合のほか、例えば、次のような場合も該当します。

	①	相手方が指定した場所で飲食料品の盛り付けを行う場合

① 相手方が指定した場所で飲食料品の盛り付けを行う場合

② 相手方が指定した場所で飲食料品が入っている器を配膳する場合

③ 相手方が指定した場所で飲食料品の提供とともに取り分け用の食器等を飲食に適する状態に配置する場合

5．有料老人ホーム等での飲食料品の提供・学校給食

　有料老人ホームや小中学校などで提供される食事で、これらの施設で日常生活や学校生活を営む者（以下「入居者等」といいます。）の求めに応じて、その施設の設置者等が調理等をして提供するもののうち、次の一定の基準を満たすものについては、軽減税率の対象となります。

① 施設の設置者等が同一の日に同一の入居者等に対して行う飲食料品の提供の対価の額（税抜き）が１食につき640円以下であるもののうち

② その日の最初に提供された飲食料品の提供の対価の額から累計した金額が1,920円に達するまでの飲食料品の提供

施　　設	飲食料品の提供の範囲	参　　考
有料老人ホーム	有料老人ホームの設置者又は運営者が、入居者に対して行う飲食料品の提供	次の入居者に対するものに限られます。 ①　60歳以上の者 ②　要介護認定又は要支援認定を受けている60歳未満の者 ③　①又は②に該当する者と同居している配偶者（婚姻の届け出をしていないが、事実上婚姻関係と同様の事情にあるものを含みます。）
サービス付き高齢者向け住宅	サービス付き高齢者向け住宅の設置者又は運営者が、入居者に対して行う飲食料品の提供	
義務教育諸学校の施設	義務教育諸学校の設置者が、その児童又は生徒の全てに対して学校給食として行う飲食料品の提供	義務教育諸学校とは、学校教育法に規定する小学校、中学校、義務教育学校、中等教育学校の前期課程又は特別支援学校の小学部若しくは中学部をいいます。 　アレルギーなどの個別事情により全ての児童又は生徒に対して提供することができなかったとしても軽減税率の対象となります。
夜間課程を置く高等学校の施設	高等学校の設置者が、夜間課程で教育を受ける生徒の全てに対して夜間学校給食として行う飲食料品の提供	
特別支援学校の幼稚部又は高等部の施設	特別支援学校の設置者が、その幼児又は生徒の全てに対して学校給食として行う飲食料品の提供	
幼稚園の施設	幼稚園の設置者が、その施設で教育を受ける幼児の全てに対して学校給食に準じて行う飲食料品の提供	
特別支援学校の寄宿舎	寄宿舎の設置者が、寄宿舎に寄宿する幼児、児童又は生徒に対して行う飲食料品の提供	

4 適格請求書等保存方式

1. 適格請求書等保存方式の概要

　令和5年10月1日から複数税率に対応した仕入税額控除の方式として、「適格請求書等保存方式」（インボイス制度）が開始されました。

　適格請求書等保存方式の下では、「帳簿」及び税務署長に申請して登録を受けた課税事業者である「適格請求書発行事業者」が交付する「適格請求書」などの請求書等の保存が仕入税額控除の要件となります。

> 　適格請求書とは、「売手が、買手に対し正確な適用税率や消費税額等を伝えるための手段」であり、一定の事項が記載された請求書や納品書その他これらに類するものをいいます。

2. 適格請求書発行事業者登録制度

(1) 適格請求書発行事業者の登録

　適格請求書等保存方式においては、仕入税額控除の要件として、原則、適格請求書発行事業者から交付を受けた適格請求書の保存が必要です。

　適格請求書を交付しようとする事業者は、納税地を所轄する税務署長に適格請求書発行事業者の登録申請書を提出し、適格請求書発行事業者として登録を受ける必要があり（登録を受けることができるのは、課税事業者に限られます。）、税務署長は、氏名又は名称及び登録番号等を適格請求書発行事業者登録簿に登載し、登録を行います。

【適格請求書発行事業者の申請から登録】

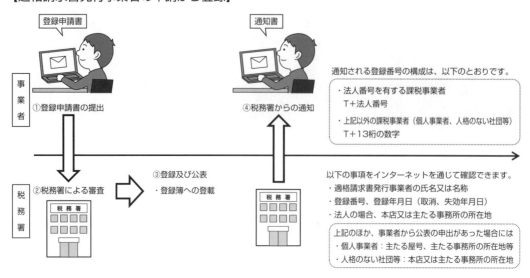

(2) 免税事業者の登録手続

　免税事業者が適格請求書発行事業者として登録を受けるためには、「消費税課税事業者選択届出書」を提出し、課税事業者となる必要がありますが、令和5年10月1日から令和11年9月30日までの日を含む課税期間中に登録を受ける場合は、登録を受けた日から課税事業者となる経過措置が設けられています。

　経過措置の適用を受けて適格請求書発行事業者となった場合、登録を受けた日から2年を経過する日の属する課税期間の末日までは、免税事業者になることはできません（登録を受けた日が令和5年10月1日の属する課税期間である場合を除きます。）。

■経過措置の適用により登録を受ける場合における登録を希望する日の記載

　経過措置の適用により、令和5年10月2日以後に適格請求書発行事業者の登録を受けようとする免税事業者は、その登録申請書に、提出日から15日以降の登録を受ける日として事業者が希望する日（以下「登録希望日」といいます。）を記載します。登録希望日を記載した場合、その登録希望日後に登録がされたときは、当該登録希望日に登録を受けたものとみなされます。

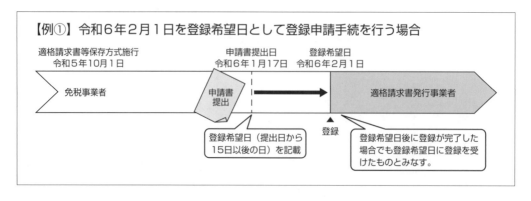

■登録日が上記の課税期間以降の場合（上記経過措置の適用を受けない場合）

「消費税課税事業者選択届出書」を提出し、課税事業者を選択するとともに、課税事業者となる課税期間の初日から起算して15日前の日までに登録申請書を提出します。

【例②】個人事業者や12月決算の法人が、課税事業者となる課税期間の初日である令和12年1月1日から登録を受ける場合

⇒　消費税課税事業者選択届出書を提出するとともに、登録申請書を令和11年12月17日※までに提出する。

※　課税事業者となる課税期間の初日（令和12年1月1日）から起算して15日前の日

3．仕入税額控除の要件

適格請求書等保存方式の下では、適格請求書などの請求書等の交付を受けることが困難な一定の場合を除き、一定の事項を記載した帳簿及び請求書等の保存が仕入税額控除の要件となります。

(1)　帳簿の記載事項

帳簿の記載事項

① 課税仕入れの相手方の氏名又は名称

② 課税仕入れを行った年月日

③ 課税仕入れに係る資産又は役務の内容
　（軽減対象資産の譲渡等に係るものである旨）

④ 課税仕入れに係る支払対価の額

【帳簿の記載例】

総勘定元帳（仕入）					
XX年 月　日		摘　　要		税区分	借方 （円）
11	30	△△商事㈱	11月分　日用品	10%	88,000
11	30	△△商事㈱	11月分　食料品	8%	43,200
②		①	③		④

参考　帳簿の保存のみで仕入税額控除ができる場合

自動販売機から購入する場合（3万円未満のものに限ります。）や適格簡易請求書の記載事項を満たした入場券等の証拠書類が回収される場合、中古品販売業者が消費者から古物を仕入れる場合など、適格請求書等の交付を受けることが困難な場合は、帳簿への記載により仕入税額控除をすることができます（適格請求書等の保存は不要です。）。

---

(2)　一定規模以下の事業者に対する事務負担の軽減措置

基準期間における課税売上高が1億円以下又は特定期間※における課税売上高が5千万円以下である事業者が、令和5年10月1日から令和11年9月30日までの間に国内において行う課税仕入れについて、当該課税仕入れに係る支払対価の額（税込み）が1万円未満である場

合には、一定の事項が記載された帳簿のみの保存により、当該課税仕入れについて仕入税額控除の適用を受けることができる経過措置（少額特例）が設けられています。

※原則として個人事業者は前年の１月１日から６月30日までの期間、法人は前事業年度開始の日以後６月の期間

○令和11年10月１日以後に行う課税仕入れについては、課税期間の途中であっても、この特例の適用はありません。
○１万円未満の判定単位は、課税仕入れに係る１商品ごとの金額により判定するのではなく、一回の取引の課税仕入れに係る金額（税込み）が１万円未満かどうかにより判定します。

(3) 免税事業者等からの課税仕入れに係る経過措置

　適格請求書等保存方式の開始後は、免税事業者や消費者など、適格請求書発行事業者以外の者（以下「免税事業者等」といいます。）から行った課税仕入れは、原則として仕入税額控除の適用を受けることができません。

　ただし、制度開始後６年間は、免税事業者等からの課税仕入れについても、仕入税額相当額の一定割合を仕入税額として控除できる経過措置が設けられています。

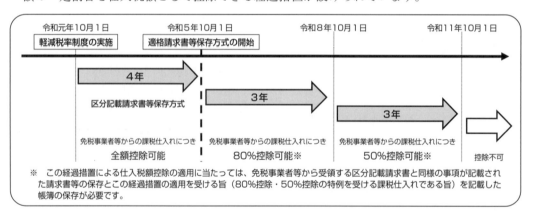

(4) 適格請求書の記載事項

「適格請求書」とは、次に掲げる事項を記載した請求書、納品書その他これらに類する書類をいいます。

なお、小売業、飲食店業、タクシー業等の不特定多数の者に対して課税資産の譲渡等を行う事業に係るものであるときは、適格請求書の記載事項を簡易なものとした「適格簡易請求書」を発行することができます。

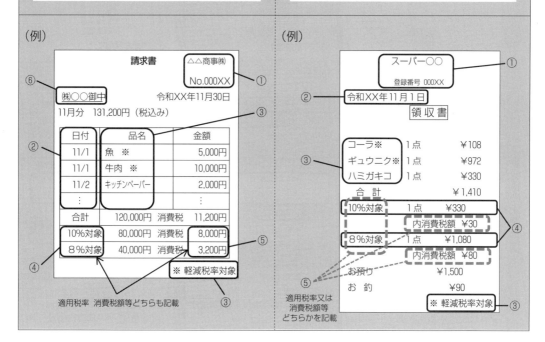

※　適格請求書及び適格簡易請求書の様式は、法令等で定められていません。

　適格請求書及び適格簡易請求書として必要な事項が記載された書類（請求書、納品書、領収書、レシート等）であれば、その名称を問わず、適格請求書又は適格簡易請求書に該当します。

帳簿及び請求書等の記載事項

	請求書等保存方式 令和元年9月30日まで	区分記載請求書等保存方式 令和元年10月から	適格請求書等保存方式 令和5年10月から

帳簿の記載事項

請求書等保存方式

総勘定元帳（仕入）

××年 月 日	摘要	借方
10 31	△△商事㈱ 10月分 日用品及び食料品	131,000

① 課税仕入れの相手方の氏名又は名称
② 課税仕入れを行った年月日
③ 課税仕入れに係る内容
④ 課税仕入れに係る支払対価の額

区分記載請求書等保存方式

総勘定元帳（仕入）

××年 月 日	摘要	借方
10 31	△△商事㈱ 10月分 ※食料品	54,000
10 31	△△商事㈱ 10月分 日用品	77,000

※軽減税率対象

請求書等保存方式の記載事項に加え、軽減対象資産の譲渡等に係るものである旨を記載します。

適格請求書等保存方式

総勘定元帳（仕入）

××年 月 日	摘要	借方
10 31	△△商事㈱ 10月分 ※食料品	54,000
10 31	△△商事㈱ 10月分 日用品	77,000

※軽減税率対象

区分記載請求書等保存方式と同様の記載をします。

請求書等の記載事項

請求書等保存方式

請求書

㈱○○物産御中
　　　　　　　　　××年10月31日
10月分　131,000円（税込）

日付	品名	金額
10/1	野菜	8,640円
10/1	牛肉	16,200円
10/2	割り箸	3,300円
⋮	⋮	⋮
合　計		131,000円

△△商事㈱

① 書類の作成者の氏名又は名称
② 資産の譲渡等の年月日
③ 課税資産の譲渡等に係る内容
④ 課税資産の譲渡等の対価の額（税込み）
⑤ 書類の交付を受ける事業者の氏名又は名称

区分記載請求書等保存方式

請求書

㈱○○物産御中
　　　　　　　　　××年10月31日
10月分　131,000円（税込）

日付	品名	金額
10/1	野菜 ※	8,640円
10/1	牛肉 ※	16,200円
10/2	割り箸	3,300円
⋮	⋮	⋮
合　計		131,000円
10% 対象		77,000円
8% 対象		54,000円

※軽減税率対象　　　　　△△商事㈱

請求書等保存方式の記載事項に次を追加。
① 軽減対象資産の譲渡等である旨
② 税率ごとに合計した対価の額（税込み）
(注) ①及び②の追加記載事項は受領者の追記可

適格請求書等保存方式

請求書

㈱○○物産御中
　　　　　　　　　××年10月31日
10月分　131,000円（税込）

日付	品名	金額
10/1	野菜 ※	8,640円
10/1	牛肉 ※	16,200円
10/2	割り箸	3,300円
⋮	⋮	⋮
合計	120,000円	消費税11,000円

10%対象 70,000円	消費税 7,000円
8%対象 50,000円	消費税 4,000円

※軽減税率対象　　　　　△△商事㈱

登録番号 T0000XXXXXXXXX

区分記載請求書等の記載事項に加え、以下を加えます。
① 登録番号（T＋13桁）
② 税率ごとの消費税額及び適用税率
(注) 税率ごとに合計した対価の額は税抜き又は税込みで記載

166

第2編
第2章 消費税の軽減税率判定表

一般的な例を示したもので、個々に判断することになります。

判 定 事 例	適 用 税 率		ポ イ ン ト
	標準税率 10%	軽減税率 8%	
果物の仕入れ	ー	◯	
① 果物を入れるトレーの仕入れ	◯	ー	
② 果物をトレーに入れて販売	ー	◯	通常必要なものとして使用される包装材料は、その包装材料も含めて軽減税率の適用対象となります。
生きている家畜の販売	◯	ー	肉用牛、食用豚、食鳥等の生きた家畜は、その販売の時点において、人の食用等に供されるものではないため、軽減税率の適用対象となりません。
家畜を加工して食用として販売	ー	◯	
食用の生きた魚を販売	ー	◯	
観賞用の魚の販売	◯	ー	
家畜の飼料やペットフードの販売	◯	ー	
コーヒーの生豆の販売	ー	◯	
果物の苗木及びその種子の販売 ① 栽培用	◯	ー	

【第2編】 第2章 消費税の軽減税率判定表

判 定 事 例	適 用 税 率		ポ イ ン ト
	標準税率 10%	軽減税率 8%	
② 菓子や製菓用 （かぼちゃの種な ど）	―	○	
水の販売 ① 飲料水 （ミネラルウォー ターなど）	―	○	飲料水（ミネラルウォーターなど）は、「飲食料品」に該当します。 　他方、水道水は、風呂、洗濯といった飲食用以外の生活用水と供給されるものが混然一体となって提供されるため、軽減税率の適用対象となりません。
② 水道水（生活用 水）	○	―	しかし、水道水をペットボトルに入れて販売する場合は、軽減税率の対象となります。
氷の販売 ① かき氷や飲料に 入れる氷	―	○	
② ドライアイスや 保冷用の氷	○	―	
ウォーターサーバーの レンタル	○	―	軽減税率が適用されるのは、「飲食料品の譲渡」であるため、「資産の貸付け」であるウォーターサーバーのレンタルについては、軽減税率の適用対象となりません。 　人の飲用又は食用に供されるウォーターサーバーで使用する水は、「食品」に該当し、その販売は軽減税率の適用対象となります。
賞味期限切れの食品を 廃棄するための譲渡	○	―	人の飲用又は食用に供されるものとして譲渡されるものではないので、軽減税率の適用対象となりません。
酒の販売	○	―	酒税法に規定する酒類は、軽減税率の適用対象となる「飲食料品」から除かれます。また、料理に使用するワインなどの酒類の販売も、軽減税率の適用対象となりません。

判 定 事 例	適 用 税 率		ポ イ ン ト
	標準税率 10%	軽減税率 8%	
料理用に酒を販売	〇	－	
菓子の製造用に酒を販売	〇	－	
みりん、料理酒等の販売 ① 酒税法に規定する酒類	〇	－	酒税法に規定する酒類は、軽減税率の適用対象にある「飲食料品」から除かれます。
② 酒税法に規定する酒類に該当しない料理酒などの発酵調味料（アルコール分が1度以上であるものの塩などを加えることにより飲用できないようにしたもの）やみりん風調味料（アルコール分が1度未満のもの）	－	〇	
ノンアルコールビールや甘酒（アルコール分が1度未満のもの）	－	〇	
酒類を原料とした菓子の販売	－	〇	
日本酒を製造するための米の販売	－	〇	酒税法に規定する酒類の原材料となる「飲食料品」は、軽減税率の適用対象となります。
食品の製造に使用する「添加物」の販売	－	〇	食品衛生法に規定する「添加物」の販売は、軽減税率の適用対象となります。

判 定 事 例	適 用 税 率		ポ イ ン ト
	標準税率 10%	軽減税率 8%	
金箔の販売 ① 食品添加物	ー	○	食品衛生法に規定する「添加物」として販売される金箔は、「食品」に該当し、その販売は、軽減税率の適用対象となります。
② 工芸用	○	ー	
重曹の販売 ① 食用	ー	○	
② 清掃用	○	ー	
炭酸ガスの販売	ー	○	食品衛生法に規定する「添加物」として販売される炭酸ガスは、「食品」に該当し、その販売は軽減税率の適用対象となります。
栄養ドリンク（医薬部外品）の販売	○	ー	「医薬品、医療機器等の品質、有効性及び安全性の確保等に関する法律」に規定する「医薬品」、「医薬部外品」及び「再生医療等製品」（以下「医薬品等」といいます。）は、「飲食料品」に該当しません。 　なお、医薬品等に該当しない栄養ドリンクは、「食品」に該当し、その販売は軽減税率の適用対象となります。
特定保健用食品、栄養機能食品、健康食品、美容食品などの販売	ー	○	人の食用等に供される特定保健用食品、栄養機能食品は、医薬品等に該当しません。 　よって、人の食用等に供されるいわゆる健康食品、美容食品で、医薬品等に該当しないものであれば、それらの販売は、軽減税率の適用対象となります。
飲食料品を販売する際に使用する容器の販売	○	ー	飲食料品を販売する際に使用される包装材料及び容器などが、その販売に付帯して通常必要なものとして使用されるものであるときは、当該包装材料等を含め、軽減税率の適用対象となる「飲食料品の譲渡」に該当します。

判 定 事 例	適 用 税 率		ポ イ ン ト
	標準税率 10%	軽減税率 8%	
キャラクターを印刷したお菓子の缶箱等	ー	○	キャラクター等が印刷された缶箱であっても、基本的には、その販売に付帯して通常必要なものとして使用されるものに該当し、その缶箱入りのお菓子の販売は、軽減税率の適用対象となります。
割り箸を付帯した弁当・ストローを付帯した飲料等	ー	○	飲食料品に食器具等（弁当に付帯する割り箸やよう枝、スプーン、お手拭き、飲料に付帯するストローなど）を付帯して販売する場合、これらの食器具等は、通常、その飲食料品を飲食する際にのみ用いられるものであるため、その販売は、これらの食器具等も含め「飲食料品の譲渡」に該当し、軽減税率の適用対象となります。
贈答用の包装など、包装材料等につき、別途対価を定めて販売	○	ー	別途対価を徴している保冷剤・包装材料等については、軽減税率の適用対象となりません。
飲用後に回収される空びんのびん代	○	ー	「びん代」は、飲食店等から受けた「飲食料品の譲渡」の対価ではなく、「空びんの譲渡」の対価であることから、軽減税率の適用対象となりません。
サービスで保冷剤を付けてケーキやプリンを販売	ー	○	別途対価を徴している保冷剤・包装材料等については、軽減税率の適用対象となりません。
いちご狩りやなし狩りなどの入園料	○	ー	入園料については、役務の提供に該当しますので、軽減税率の適用対象となりません。なお、収穫した果物について別途対価を徴している場合のその果物の販売は、軽減税率の適用対象となります（潮干狩りや釣り掘等についても、同様の取扱いです。）。

判 定 事 例	適 用 税 率		ポ イ ン ト
	標準税率 10%	軽減税率 8%	
自動販売機でジュースやパン、菓子等を販売	―	◯	酒税法に規定する酒類を販売した場合は軽減税率の適用対象となりません。
通信販売などによる飲食料品の販売	―	◯	
飲食料品の販売に係る送料	◯	―	「送料込み商品」の販売など、別途送料を求めない場合、その商品が「飲食料品」に該当するのであれば、軽減税率の適用対象となります。
飲食料品に係る販売奨励金	―	◯	事業者が販売促進の目的で販売数量等に応じて取引先に支払う販売奨励金等は、売上げに係る対価の返還等（取引先から支払を受ける販売奨励金等は仕入れに係る対価の返還等）に該当します。 　その売上げの対価の返還等又は仕入れの対価の返還等に対象になった取引が「飲食料品の譲渡」であれば、軽減税率が適用されます。 　しかしながら、「販売奨励金」という名目であっても、役務の提供の対価として支払う（受け取る）ものは、軽減税率の適用の対象となりません。
自動販売機の販売手数料	◯	―	飲食料品の売上げ（又は仕入れ）に係る対価の返還等には該当せず、「役務の提供」の対価に該当することから、軽減税率の適用対象となりません。
物流センターの使用料（センターフィー）	◯	―	飲食料品の売上げ（又は仕入れ）に係る対価の返還等には該当せず、「役務の提供」の対価に該当することから、軽減税率の適用対象となりません。

判 定 事 例	適 用 税 率		ポ イ ン ト
	標準税率 10%	軽減税率 8%	
飲食料品等の委託販売	—	○	委託販売等を通じて受託者が行う飲食料品の譲渡は軽減税率の適用対象となります。 　受託者が行う委託販売等に係る役務の提供は、その取扱商品が飲食料品であったとしても、軽減税率の適用対象となりません。
飲食料品等の委託販売手数料	○	—	
飲食料品の輸入	—	○	保税地域から引き取られる課税貨物のうち、「飲食料品」に該当するものについては、軽減税率が適用されます。
輸入した飲食料品を飼料用として販売	○	—	人の食用等に供されるものの輸入（保税地域からの引取り）は、軽減税率の対象となりますが、輸入した食品を飼料用として販売した場合には、軽減税率の適用対象となりません。
飲食店で食材を調理 ① テイクアウトとして販売	—	○	飲食料品を持ち帰りのための容器に入れ、又は包装を施して行う譲渡は、単なる飲食料品の譲渡に該当し、軽減税率の適用対象となります。
② 出前・宅配	—	○	
③ 店舗で提供	○	—	
社員食堂で飲食料品を提供	○	—	飲食設備のある場所において飲食料品を飲食させる役務の提供に該当しますので、軽減税率の適用対象となりません。
屋台やフードイベント等での飲食料品の提供 ① テーブル・椅子などを設置する場合	○	—	

【第2編】第2章　消費税の軽減税率判定表

判 定 事 例	適 用 税 率		ポ イ ン ト
	標準税率 10%	軽減税率 8%	
② テーブル・椅子などを設置しない場合	―	○	
立食形式の飲食店の飲食料品の提供	○	―	飲食設備とは、飲食に用いられる設備であれば、その規模や目的は問いませんので、例えば、カウンターのみ若しくはこれら以外の設備又は飲食目的以外の設備等に設置されたテーブル等であっても、これらの設備が飲食に用いられるのであれば、飲食設備に該当します。
フードコートでの飲食料品の提供	○	―	設備設置者と飲食料品を提供している事業者との間の合意等に基づき、その設備を顧客に利用させることとされている場合の飲食料品の提供は、飲食設備のある場所において飲食料品を飲食させる役務の提供に該当しますので、軽減税率の適用対象となりません。
コンビニエンスストアのイートインスペースでの飲食	○	―	コンビニエンスストアでは、持ち帰ることも店内で飲食することも可能な商品を扱っているため、販売の際に顧客に対して店内飲食か持ち帰りかの意思確認を行うなどの適宜の方法で、軽減税率の適用対象となるかならないかを判定します。
スーパーマーケットの従業員専用のバックヤードでの従業員の飲食	―	○	従業員専用のバックヤードのように顧客により飲食に用いられないことが明らかな設備は飲食設備に該当しないので、「飲食料品の譲渡」に該当し、軽減税率の適用対象となります。
飲食店で料理の残りを持ち帰った場合	○	―	その場で飲食するために提供されたものは、「食事の提供」に該当し、その後持ち帰ることとしても、「飲食料品の譲渡」に該当せず、軽減税率の適用対象となりません。

判 定 事 例	適 用 税 率		ポ イ ン ト
	標準税率 10%	軽減税率 8%	
セット商品のうち一部を店内飲食する場合	○	―	セット商品は、一の商品であることから、意思確認の結果、そのセット商品の一部を店内飲食し、残りを持ち帰ると申し出があったとしても、一のセット商品の一部をその場で飲食させるために提供することになります。 　したがって、そのセット商品の販売は、「食事の提供」に該当し、顧客が残りを持ち帰ったとしても軽減税率の適用対象となりません。
飲食店のレジ前で菓子を販売	―	○	飲食店のレジ前にある菓子の販売は、単に飲食料品を販売しているものと考えられることから、飲食料品を飲食させる役務の提供に該当せず「飲食料品の譲渡」に該当し、軽減税率の適用対象となります。
飲食店で提供する缶飲料、ペットボトル飲料の販売	○	―	缶飲料、ペットボトル飲料をそのまま提供したとしても、店内で飲食させるものとして提供しているものであることから、軽減税率の適用対象となりません。
列車内食堂施設での飲食料品の提供	○	―	
列車内の移動ワゴンによる弁当や飲料の販売	―	○	列車内の移動ワゴンによる弁当や飲料の販売は、次の①又は②に該当する場合を除き、軽減税率の適用対象となります。 ① 　座席等で飲食させるための飲食メニューを座席等に設置して、顧客の注文に応じてその座席等で行う食事の提供 ② 　座席等で飲食するため事前に予約を取って行う食事の提供 　なお、酒税法で規定する酒類は、軽減税率が適用される「飲食料品」から除かれます。
カラオケボックスでの飲食料品の提供	○	―	カラオケボックスの客室で顧客の注文に応じて行われる飲食料品の提供は、「食事の提供」に該当します。

【第2編】　第2章　消費税の軽減税率判定表

判 定 事 例	適 用 税 率		ポ イ ン ト
	標準税率 10%	軽減税率 8%	
映画館の売店での飲食料品の販売（酒税法に規定する酒類を除きます。） ① 映画館の座席での飲食料品の販売	―	○	映画館の座席での飲食料品の販売は、次の①又は②に該当する場合を除き、軽減税率の適用対象となります。 ① 座席等で飲食させるための飲食メニューを座席等に設置して、顧客の注文に応じてその座席等で行う食事の提供 ② 座席等で飲食するため事前に予約を取って行う食事の提供
② 売店のそばにテーブル、椅子等を設置してその場で行う飲食料品の提供	○	―	飲食設備がある場所において飲食料品を飲食させる役務の提供である「食事の提供」に該当します。
旅館、ホテル等宿泊施設における飲食料品の提供 ① 旅館、ホテルの宴会場等で提供される飲食料品	○	―	ホテル等自体又はホテル等のテナントであるレストランが行うものは「食事の提供」に該当します。
② ホテルのレストランで提供しているルームサービス（飲食料品を客室まで届けること）	○	―	ルームサービスは、ホテル等の客室内のテーブル、椅子等の飲食設備がある場所での飲食させる役務の提供であり、「食事の提供」に該当します。
③ 客室に備え付けられた冷蔵庫内の飲食料品（酒税法に規定する酒類を除きます。）	―	○	単に飲食料品を販売することであるから、飲食させる役務の提供に該当せず、「飲食料品の譲渡」に該当します。

判　定　事　例	適　用　税　率		ポ　イ　ン　ト
	標準税率 10%	軽減税率 8%	
飲食料品のお土産付きのパック旅行	○	—	飲食料品のお土産が付いているパック旅行は、様々な資産の譲渡等（交通、宿泊、飲食など）を複合して提供されるものであり、旅行という包括的な一の役務の提供となるため、たとえ飲食料品のお土産が付く場合であっても、その対価の全体が軽減税率の適用対象となりません。
バーベキュー場の施設利用料と別途食材代を受け取っている場合	○	—	バーベキュー施設内で飲食する飲食料品について、そのバーベキュー施設を運営する事業者からしか提供を受けることができない場合には、施設利用料と食材代を区分していても、その全額が飲食設備がある場所で、飲食させる役務の提供に係る対価と認められますので、「食事の提供」に該当します。
飲食店以外で調理を行って飲食料品を提供する出張料理	○	—	
自宅での料理代行サービス（食材持ち込み）	○	—	
社内会議室への飲食料品の配達	—	○	飲料の配達後に、会議室内で、給仕等の役務の提供が行われる場合は、いわゆる「ケータリング、出張料理」に該当します。
配達先で「味噌汁付弁当」の味噌汁を取り分け用の器に注いで提供	—	○	軽減税率の対象となる「飲食料品の譲渡」には、指定された場所において行う調理等の「役務」を伴う飲食料品の提供は含まれません。 　しかし、「味噌汁を取り分け用の器に注ぐ」という行為は、味噌汁の販売に必要な「取り分け」を行うものに過ぎないことから、器に注いで提供することは、「役務の提供」に該当しません。 　したがって、「味噌汁付弁当」の全体が軽減税率の適用対象となります。

【第2編】　第2章　消費税の軽減税率判定表

判 定 事 例	適 用 税 率		ポ イ ン ト
	標準税率 10%	軽減税率 8%	
学校給食	―	〇	義務教育諸学校の施設において、当該施設の設置者が、その児童又は生徒の全てに対して行う飲食料品の提供（＝学校給食）は軽減税率の適用対象となります。
学生食堂 （利用は生徒の自由）	〇	―	利用が選択制である学生食堂での飲食料品の提供は、「学校給食」に該当しません。 　また、学生食堂での飲食料品の提供は、「食事の提供」に該当します。
菓子と玩具が一緒になっている食玩の販売	△ ※　販売実態に応じて適用税率を判定する必要があります。		食品と食品以外の資産が一体として販売されるもの（あらかじめ一の資産を形成し、又は構成しているものであって、その一の資産に係る価格のみが提示されているもの）は、次のいずれの要件も満たす場合、その全体が軽減税率の適用対象となります。 ①　一体資産の譲渡の対価の額（税抜価額）が１万円以下であること ②　一体資産の価額のうちに当該一体資産に含まれる食品に係る部分の価額の占める割合として合理的な方法により計算した割合が３分の２以上であること
ケーキ等を容器に入れて販売 ①　特注品の専用容器(再利用可能)	△ ※　販売実態に応じて適用税率を判定する必要があります。		食品と食品以外の資産が一体として販売されるもの（あらかじめ一の資産を形成し、又は構成しているものであって、その一の資産に係る価格のみが提示されているもの）は、次のいずれの要件も満たす場合、その全体が軽減税率の適用対象となります。 ①　一体資産の譲渡の対価の額（税抜価額）が１万円以下であること ②　一体資産の価額のうちに当該一体資産に含まれる食品に係る部分の価額の占める割合として合理的な方法により計算した割合が３分の２以上であること
②　通常の容器 （再利用不可）	―	〇	

判 定 事 例	適 用 税 率		ポ イ ン ト
	標準税率 10%	軽減税率 8%	
福袋の販売 ① 酒類を除く飲食料品	─	〇	
② 食品と食品以外	△ ※ 販売実態に応じて適用税率を判定する必要があります。		食品と食品以外の資産が一体として販売されるもの（あらかじめ一の資産を形成し、又は構成しているものであって、その一の資産に係る価格のみが提示されているもの）は、次のいずれの要件も満たす場合、その全体が軽減税率の適用対象となります。 ① 一体資産の譲渡の対価の額（税抜価額）が１万円以下であること ② 一体資産の価額のうちに当該一体資産に含まれる食品に係る部分の価額の占める割合として合理的な方法により計算した割合が３分の２以上であること
非売品の販促品付きペットボトル飲料	─	〇	一体資産に該当し、食品に係る部分の価額の占める割合が３分の２以上（販促品は非売品であるため０円であると認められます。）であり、一体資産の譲渡の対価の額（税抜価額）が１万円以下である場合は、軽減税率の適用対象となります。
スポーツ新聞や業界紙の販売	△ ※ 販売実態に応じて適用税率を判定する必要があります。		いわゆるスポーツ新聞や業界紙、日本語以外の新聞等についても、１週に２回以上発行される新聞で、定期購読契約に基づく販売であれば、軽減税率の適用対象となります。
コンビニエンスストアで販売する新聞	〇	─	コンビニエンスストア等の新聞の販売は、定期購読契約に基づくものではないため軽減税率の適用対象となりません。

【第２編】 第２章 消費税の軽減税率判定表

判 定 事 例	適 用 税 率		ポ イ ン ト
	標準税率 10%	軽減税率 8%	
１週に２回以上発行する新聞 （休刊日により週１回しか発行されない週がある場合）	ー	○	軽減税率の適用対象となる「１週に２回以上発行する新聞」とは、通常の発行予定日が週２回以上とされている新聞をいいますので、国民の祝日及び通常の頻度で設けられている新聞休刊日によって発行が１週に１回以下となる週があっても「１週に２回以上発行する新聞」に該当します。
ホテルに対して販売する新聞	△ ※　納品実態に応じて適用税率を区分する必要があります。		毎日一定の固定部数を納品するものは「定期的に継続して供給する」ものに該当しますが、当日の宿泊客数に応じて追加で納品するものは、「定期的に継続して供給する」ものに該当しません。 　したがって、毎日納品する固定部数部分については、軽減税率の適用対象となりますが、当日の宿泊客数に応じて納品する追加部数部分については、軽減税率の適用対象となりません。
インターネットを通じて配信する電子版の新聞	○	ー	インターネットを通じて配信する電子版の新聞は、電気通信回線を介して行われる役務の提供である「電気通信利用役務の提供」に該当し、「新聞の譲渡」に該当しないことから、軽減税率の適用対象となりません。
紙の新聞と電子版の新聞のセット販売	△ ※　適用税率を区分する必要があります。		電子版の新聞は「新聞の譲渡」に該当しないため、セット販売の対価の額を軽減税率の適用対象となる「紙の新聞」の金額と、軽減税率の適用対象とならない「電子版の新聞」の金額とに区分した上で、それぞれの税率が適用されることとなります。

第2編
第3章 仕入税額控除の要件

区　　分	記　載　事　項	請求書等 保存方式	区分記載請求 書等保存方式	適格請求書 等保存方式
仕入税額控除の要件 「帳簿」	①課税仕入れの相手方の氏名及び名称	○	○	○
	②課税仕入れを行った年月日	○	○	○
	③課税仕入れに係る内容	○	○	○
	④課税仕入れに係る支払対価の額	○	○	○
	⑤軽減対象資産の譲渡等に係るものである旨を記載	—	○	○
仕入税額控除の要件 「請求書」	①書類の作成者の氏名又は名称	○	○	○
	②資産の譲渡等の年月日	○	○	○
	③課税資産の譲渡等に係る内容	○	○	○
	④課税資産の譲渡等の対価の額（税込み）	○	○	○
	⑤書類の交付を受ける事業者の氏名又は名称	○	○	○
	⑥軽減対象資産の譲渡等である旨	—	○ 受領者の追記可	○
	⑦税率ごとに合計した対価の額	—	○ 受領者の追記可 税込み	○ 税抜き又は 税込み
	⑧登録番号（T＋13桁）	—	—	○
	⑨税率ごとの消費税額及び適用税率	—	—	○

【第2編】 第3章 仕入税額控除の要件

消費税の課否判定 項目別索引

【あ】

空きびん等の購入	75
預り金	147
アセットスワップ	63
暗号資産	45、68、140
暗号資産の貸付けにおける利用料	68
暗号資産の譲渡	45

【い】

慰安旅行の補助金	91
育成者権	125
意匠権	88、125、144
委託給食施設	23
委託手数料（外国証券の売買に係るもの）	83
委託売買手数料（株式の売買に係るもの）	114
移転補償金	70
移転補償金（対価補償金として扱われるもの）	70
違法駐車した車両の移動・保管（代金等）	27
医薬品等の販売	52
医薬品の販売（薬局における）	52
祝品等の購入代金	90
印紙の販売	48

【う】

請負に係る中間金の支払	85
受取手形	140
受取手形の譲渡	45

【え】

営業権の譲渡等	144
永代使用料（墓地）	44
永年勤続者に支給する記念品の購入費用等	93
役務の提供	15
役務の提供を受けた場合	73

【お】

屋外看板	121
お布施、戒名料等	55
温泉利用権	41、144

【か】

海外からの赴任支度金	99
海外市場の情報提供	40
海外出張旅費等	98
海外プラント工事の下請	29
海外への引越費用	125

そして受取配当金等の【あ】列に：

受取配当金	64
受取保険金	72
売上割引	134
売掛金	141
売掛金の譲渡	45
売掛債権に係る金利	62
売場拡大の補てん金	121
運送料等	123

消費税の課否判定 項目別索引

外交員に支給する旅費 …………………… 89	外部から購入した弁当 …………………… 23
外交員報酬等 ……………………………… 88	外部食堂へ支払う食事代金 ……………… 94
外航船の修理費用 ………………………… 120	戒名料 ……………………………………… 55
外航船舶等の譲渡等 ……………………… 34	解約損害金 ………………………………… 118
外航船舶等の外貿埠頭貸付料等 ………… 35	解約損害金（リース取引に係るもの）…… 119
外航船舶等の入港料等 …………………… 34	解約手数料 ………………………………… 118
外国貨物である部品の内国貨物への取付け …… 33	解約手数料（モーゲージ証書に係るもの）…… 120
外国貨物の運送料等 ……………………… 124	回路配置利用権 …………………………… 125
外国貨物の譲渡等 ………………………… 33	学習塾に販売する教科書 ………………… 58
外国貨物の通関手続費用 ………………… 77	各種セミナーの会費 ……………………… 108
外国貨物の荷役等 ………………………… 35	火災共済掛金 ……………………………… 95
外国為替業務に係る役務の提供 ………… 115	火災保険料（福利厚生施設に係るもの）…… 95
外国企業からの広告依頼 ………………… 41	家事消費（個人事業者）………………… 18
外国企業に対する役務の提供 …………… 39	貸倒債権取立益 …………………………… 65
外国公館等に対する役務の提供 ………… 38	貸倒損失 …………………………………… 130
外国公館等に対する課税資産の譲渡 …… 17	貸倒損失（簡易課税適用者）…………… 131
外国証券の売買に係る委託手数料 ……… 83	貸倒損失
外国人旅行者の宿泊代金等 ……………… 39	（免税事業者時の売上げに係るもの）………… 130
外国送金為替手数料 ……………………… 115	貸倒損失
外国にある資産の譲渡 …………………… 27	（免税事業者となった後に生じたもの）……… 131
外国の漁船の岸壁使用料 ………………… 34	貸倒引当金等 ……………………………… 131
外国の出版社に設定する出版権の権利料 …… 36	貸倒引当金戻入益 ………………………… 65
外国への寄附 ……………………………… 101	貸付金の利子 …………………………… 47、61
外国法人からの仕入れ …………………… 74	家事用資産の譲渡（個人事業者）……… 18
外国法人に対する課税資産の譲渡 ……… 16	課税貨物の保税地域からの引取り ……… 77
外国法人の出資持分の譲渡 ……………… 30	課税資産と非課税資産の広告費 ………… 122
外国法人の発行する株式の譲渡 ………… 30	課税資産と非課税資産の仕入れ ………… 73
会場使用料 ………………………………… 110	課税資産の貸付け ………………………… 15
外注費 ……………………………………… 84	課税資産の借受け ………………………… 73
会費（各種セミナー）…………………… 108	課税資産の譲渡 …………………………… 15
会費等 ……………………………………… 106	課税資産の譲受け ………………………… 73
外部委託研修費 …………………………… 111	課税資産の輸入 …………………………… 137
	火葬許可手数料等 ………………………… 55

188

火葬料等を含む葬儀費用 ……………………………… 55

学校が指定した問題集等 ……………………………… 58

学校教育関係給食費及びスクールバス代 ………… 57

学校教育法に規定する学校における役務の提供 … 56

学校債 ……………………………………………………… 47

割賦手数料等（国外取引に係るもの） ………… 28

割賦販売手数料等 ……………………………………… 114

株券の発行 ……………………………………………… 44

株式の委託売買手数料等 …………………………… 114

株主総会費 ……………………………………………… 110

株主優待券、社員割引券等の譲渡 ………………… 50

加盟店手数料 …………………………………………… 114

貨物引換証の譲渡 ……………………………………… 44

仮払金 …………………………………………………… 142

為替差益 ………………………………………………… 65

為替差損 ………………………………………………… 134

為替手数料（外国送金に係るもの） …………… 115

為替手数料（国内送金に係るもの） …………… 115

為替予約の延長手数料 ……………………………… 116

換地処分 ………………………………………………… 21

看板（屋外に設置するもの） …………………… 121

【き】

機械装置 ………………………………………………… 142

機器使用料 ……………………………………………… 58

技術指導料 ………………………………………… 86、126

規定損害金（解約損害金） ………………………… 71

記念品の購入費用等
　（永年勤続者に支給するもの） ………………… 93

寄附金（金銭） ………………………………………… 101

寄附金（棚卸資産） …………………………………… 101

寄附金名目の金銭の支払 …………………………… 101

キャッシュディスペンサーの設置・管理等の手数料 … 66

キャッシュバックサービス ………………………… 78

キャップローン手数料 ……………………………… 133

キャンセル料 ………………………………… 72、118

キャンセル料（航空運賃） ………………………… 118

キャンセル料（ゴルフ場） ………………………… 119

キャンセル料（建物賃借に係るもの） ………… 118

給食費 …………………………………………………… 57

給与 ……………………………………………………… 85

給与等（創業費に含まれるもの） ……………… 146

給与負担金（親会社に支払うもの） …………… 86

給与負担金（子会社に支払うもの） …………… 86

共益費 …………………………………………………… 60

教科書（学習塾に販売するもの） ……………… 58

教科書販売に係る取次手数料等 ………………… 58

共済掛金 ………………………………………………… 95

教材費 …………………………………………………… 110

協賛金等 ………………………………………………… 122

強制換価 ………………………………………………… 22

行政手数料 ……………………………………………… 117

共同企業体の利益の分配 …………………………… 21

業務委託費 ……………………………………………… 94

業務代行手数料 ………………………………………… 112

居住者外貨預金に係る手数料等 ………………… 116

居住用家屋の貸付け ………………………………… 58

居住用家屋の貸付け
　（事務所として使用するもの） ………………… 59

居住用家屋の貸付けに係る敷金等 ……………… 59

拠出委託料（容器包装リサイクル法） ………… 108

魚類の買付け（公海上での） ……………………… 139

金地金相場に伴う金銭貸付け …………………… 133

金銭消費貸借契約締結の手数料 ………………… 115

消費税の課否判定 項目別索引

金融商品を解約した場合の手数料 ………………… 119

金利スワップ ……………………………………………… 63

金利補てん契約の手数料 ……………………………… 117

近隣対策費 ………………………………………………… 132

【く】

国等に納付すべき登録免許税等 ……………………… 89

繰延資産の償却費 ……………………………………… 105

クレジットカードの年会費 …………………………… 25

クレジット手数料 ……………………………………… 114

【け】

経営指導料 ……………………………………… 86、115

慶弔金 ……………………………………………………… 90

慶弔費 …………………………………………………… 127

経費補償金 ………………………………………………… 71

原因者負担金 …………………………………………… 136

減価償却費 ……………………………………………… 105

現金 ……………………………………………………… 140

現金（収集品及び販売用） …………………………… 140

現金過剰額 ………………………………………………… 68

健康診断 …………………………………………………… 51

健康診断費用 ……………………………………………… 90

健康保険法に基づく一部負担金 ……………………… 51

原材料の仕入れ …………………………………………… 84

原材料の有償支給 ………………………………………… 84

原状回復費用 ……………………………………………… 60

建設仮勘定 ……………………………………………… 143

建設協力金 ………………………………………………… 96

現物出資（建物） ………………………………………… 21

現物出資（土地） ………………………………………… 21

権利金 …………………………………………………… 147

権利金（社宅借上げの際のもの） …………………… 90

【こ】

講演料（実費相当額） ………………………………… 110

講演料等 ………………………………………………… 110

公海上での魚類の買付け ……………………………… 139

航海日当（外航船等） ………………………………… 100

航海日当（内航船） ……………………………………… 99

公開模試の検定料 ………………………………………… 57

交換（建物） ……………………………………………… 21

交換（土地と建物） ……………………………………… 21

鉱業権、土石採取権、温泉利用権等 ………………… 41

鉱業権等の譲渡等 ……………………………………… 144

工業所有権の譲渡等 …………………………………… 144

航空運賃のキャンセル料 ……………………………… 118

広告制作費 ……………………………………………… 121

広告宣伝（作家等が行うもの） ……………………… 16

広告宣伝用資産取得のための助成金 ………………… 147

広告用品の購入費 ……………………………………… 121

口座維持管理手数料 …………………………………… 116

交際費 …………………………………………………… 129

公社債等運用投資信託の信託報酬 …………………… 109

公社債投資信託の信託報酬 …………………………… 109

公社債等の経過利子 ……………………………………… 61

公証人手数料 …………………………………………… 117

構築物 …………………………………………………… 142

交通事故の示談金 ………………………………………… 72

交通事故の被害者に対する療養費 …………………… 52

合同運用信託、投資信託等の収益の分配金 ……… 47

合同運用信託等の収益分配金 ………………………… 64

合同運用信託の信託報酬 ……………………………… 109

購読料等の名目で支払う会報等の負担金 …………… 107

190

公文書の写しの交付手数料 ·············· 117

顧客を招待する際の旅費等 ·············· 100

国外イベントの企画・立案 ·············· 30

国外からの技術導入に伴う技術指導料 ·············· 83

国外からの技術導入に伴う技術使用料
　（登録を要する権利） ·············· 82

国外間の輸送 ·············· 33

国外事業者が恒久的施設で受ける
　「事業者向け電気通信利用役務の提供」·············· 81

国外事業者から受けた「特定役務の提供」等 ····· 80

国外での請負工事 ·············· 28

国外での機械設備の据付け ·············· 29

国外での建設工事の資材調達費 ·············· 83

国外での広告 ·············· 30

国外での広告（企画・立案等を含む） ·············· 30

国外での仕入れ ·············· 74

国外取引 ·············· 27

国外取引（不課税売上げ）に対応する仕入れ ····· 75

国外取引に係る割賦手数料等 ·············· 28

国外取引に係る延払金利 ·············· 63

国外に支払う技術使用料等 ·············· 138

国外の展示会の会場設営 ·············· 81

国外の美術館からの絵画の借受け ·············· 82

国外への外注費 ·············· 84

国債、地方債、預貯金等の利子 ·············· 46

国際航空運賃 ·············· 34

国際線空港施設の提供 ·············· 35

国際電信・電話料 ·············· 100

国債等の利子 ·············· 61

国際郵便等 ·············· 35

国際郵便料金 ·············· 100

国際輸送 ·············· 33

国際輸送用コンテナーの譲渡等 ·············· 34

国内外での設計作業 ·············· 29

国内事業者が国外事業者から受けた
　「事業者向け電気通信利用役務の提供」·········· 78

国内事業者が国外事業者から受けた
　「消費者向け電気通信利用役務の提供」·········· 79

国内事業者が国外事業者に対して行う
　「電気通信利用役務の提供」·············· 31

国内事業者が国外事業所等で受ける
　「事業者向け電気通信利用役務の提供」·········· 84

国内市場の情報提供 ·············· 40

国内送金為替手数料 ·············· 115

個人事業者が自家消費した棚卸資産等の
　仕入れ ·············· 76

個人事業者の家事消費 ·············· 18

個人事業者の家事用資産の譲渡 ·············· 18

個人事業者の事業用資産の譲渡 ·············· 18

個人事業者の生活用資産の購入 ·············· 76

固定資産除却損 ·············· 135

固定資産税の未経過分 ·············· 22

固定資産売却益 ·············· 68

ゴルフ会員権の買取消却 ·············· 135

ゴルフ会員権の取得 ·············· 145

ゴルフ会員権の譲渡 ·············· 145

ゴルフクラブ等の入会金等 ·············· 127

ゴルフ場のキャンセル料 ·············· 119

【さ】

サービス品の購入費用 ·············· 97

災害見舞金 ·············· 90

債権譲渡（償還日前の） ·············· 44

在宅勤務手当 ·············· 87

祭壇費用等 ·············· 55

債務免除益 ·············· 72

再輸出物品の輸出 ……………………… 139	示談金（交通事故に係るもの）………………… 72
採用予定者等に支給する旅費等 ……… 100	実用新案権 ……………………… 88、125、144
差額ベッド代 ……………………………… 51	指定金銭信託に係る中途解約手数料 ………… 119
差額ベッド料	児童居宅介護事業の経営 …………………… 53
（助産に係るもので出産後のもの）…… 54	自動車保管場所証明書等の交付手数料 ………… 117
差額ベッド料	自動販売機の設置手数料 …………………… 66
（助産に係るもので妊娠中のもの）…… 54	児童福祉法に基づかない保育所 ……………… 53
先物取引 …………………………………… 22	支払利息・割引料 …………………………… 133
作業服手当 ……………………………… 130	社員共済会等に対する補助金等 ……………… 93
作家等が行う広告宣伝 …………………… 16	社員通信教育費 ……………………………… 111
作家等が行うテレビ出演 ………………… 16	社員持株会等に対する奨励金等 ……………… 92
雑収入 …………………………………… 68	社員割引券等の譲渡 ………………………… 50
雑損失 …………………………………… 135	社屋新築記念費用 …………………………… 128
更地の貸付け ……………………………… 43	社屋の建設代金 …………………………… 143
サラリーマンが行う資産の譲渡等 ……… 17	社会福祉事業（介護サービス）……………… 53
産業医報酬 ………………………………… 89	社会福祉事業から除かれる保育所 …………… 54
残業手当 …………………………………… 87	社会福祉事業に類する事業 ………………… 53
産後ケア事業 ……………………………… 54	社会保険料 ………………………………… 89
残高証明手数料 ………………………… 116	借地権等の譲渡等 …………………………… 144
	借地権の更新料等 …………………………… 44
	社債償還益 ………………………………… 45
【し】	社債発行差金 ……………………………… 146
	社葬費用 …………………………………… 132
仕入商品を廃棄等した場合 ……………… 77	社宅購入費等 ……………………………… 91
仕入れに係る付随費用 …………………… 77	社宅の転貸 ………………………………… 60
仕入返品 …………………………………… 78	社宅用マンションの賃借料 ………………… 103
仕入割引 ……………………………… 64、78	車両運搬具 ………………………………… 142
仕入割戻し ………………………………… 78	収益分配金（合同運用信託に係るもの）……… 47、64
資格証明書により受ける診療 …………… 51	収益分配金（投資信託に係るもの）………… 47、64
自家用車の借上料 ………………………… 98	収益補償金 ………………………………… 70
事業分量配当金 …………………………… 64	従業員団体に対する助成金 ………………… 92
事業用資産の譲渡（個人事業者）……… 18	従業員に対して支給する学資金 ……………… 111
施設の貸付け ……………………………… 43	
仕立券付ワイシャツ生地 ……………… 128	

従業員に対する食事の提供 ……………… 23
従業員に対する贈与（法人） ……………… 20
従業員に対する低額譲渡（法人） ………… 20
宗教法人が受け取る助成金 ………………… 27
宗教法人の事業収入等 ……………………… 25
収集品である外国紙幣の販売 ……………… 46
収集品である硬貨の販売 …………………… 46
自由診療 ……………………………………… 51
修繕費 ………………………………………… 120
修繕費（資本的支出に該当するもの） …… 120
修繕費（非課税売上げにのみ供する資産の修理） … 120
修繕費（保険金により賄うもの） ………… 120
住宅手当 ……………………………………… 87
住宅の短期貸付け …………………………… 60
住宅の短期貸付け（期間の変更） ………… 60
住宅の低額貸付け（法人の役員に対する） ……… 20
住宅の無償貸付け（法人の役員に対する） ……… 20
住宅付属設備の貸付け（家具じゅうたん等） …… 59
住宅付属設備の貸付け（施設利用料相当額） …… 60
収入印紙代（チケットショップ等での購入） ……… 106
収入印紙代（日本郵便㈱等での購入） …………… 106
授業料等（そろばん塾等が収受するもの） ……… 57
授業料等（大学等で行う社員研修に係るもの） …… 111
授業料等（予備校等が収受するもの） …………… 57
宿泊代金等（外国人旅行者） ……………… 39
宿泊費 ………………………………………… 98
授産施設における授産活動 ………………… 53
受贈益 ……………………………………… 68、69
出演料等 ……………………………………… 122
出国に際して携帯する物品 ………………… 41
出資金 ………………………………………… 145
出資者の持分の譲渡 ………………………… 47

出張旅費等 …………………………………… 98
出張旅費等（海外出張に係るもの） ……… 98
出版権 ………………………………………… 126
償還差損 ……………………………………… 134
償還日前の債権譲渡 ………………………… 44
賞金 …………………………………………… 87
証紙代（チケットショップ等での購入） ……… 106
証紙代（地方公共団体等での購入） ……………… 106
証紙の販売 …………………………………… 48
消費者が行う輸入 …………………………… 137
消費者からの仕入れ ………………………… 74
消費者に対するキャッシュバック ………… 78
商標権 …………………………………… 125、144
商品、製品、仕掛品等 ……………………… 141
商品券、ビール券等物品切手等の発行 …… 49
商品券、ビール券等物品切手等の販売 …… 49
商品券の引換え ……………………………… 50
情報センター等の入会金等 ………………… 108
情報提供料 …………………………………… 97
賞与 …………………………………………… 85
賞与（私的資産の現物支給） ……………… 87
賞与（棚卸資産の現物支給） ……………… 87
賞与引当金 …………………………………… 131
書画・骨董の購入 …………………………… 143
食事の提供（従業員に対するもの） ……… 23
助産に係る差額ベッド料（出産後のもの） ……… 54
助産に係る差額ベッド料（妊娠中のもの） ……… 54
助成金（従業員団体に対するもの） ……… 92
助成金（宗教法人が受け取るもの） ……… 27
書籍の輸入 …………………………………… 138
所有権移転外ファイナンス・リース取引に係る
　リース料 ………………………………… 104

193

消費税の課否判定 項目別索引

人工妊娠中絶費用 ……………………………… 54

人材派遣料（ツアーコンダクターに係るもの）…… 82

身体障害者に販売するオートマチック車 ……… 56

身体障害者用物品の譲渡 ……………………… 56

信託 ………………………………………………… 144

信託報酬（公社債等運用投資信託）………… 109

信託報酬（合同運用信託等）………………… 109

信託報酬（特定金銭信託等）………………… 110

診断書等の作成料 ……………………………… 51

深夜勤務者に支給する食事代相当額 ………… 94

深夜勤務者に支給する弁当の購入費用 ……… 94

信用取引による有価証券の譲渡 ……………… 45

【す】

水道施設利用権の取得に係る負担金 ………… 147

図柄付郵便葉書の販売 ………………………… 49

図柄付郵便葉書の販売
　（葉書の持込みによるもの）………………… 49

スクールバス代
　（幼稚園や小学校等が収受するもの）……… 57

スタンプ券の印刷費 …………………………… 97

スタンプ券の発行 ……………………………… 23

スタンプ券引換え用景品購入代金 …………… 97

スポーツクラブ等の年会費 …………………… 92

スワップ手数料 ………………………………… 116

スワップ取引のあっせん手数料 ……………… 117

スワップ取引の乗換手数料 …………………… 117

スワップフィー ………………………………… 63

【せ】

生活用資産の購入（個人事業者）…………… 76

清掃費 …………………………………………… 131

生命共済掛金等 ………………………………… 95

生命保険料（給与に該当するもの）………… 95

生命保険料等 …………………………………… 94

接待費 …………………………………………… 126

【そ】

早期完済割引料 ………………………………… 71

早期退職加算金等 ……………………………… 86

葬儀費用（火葬料等を含む）………………… 55

創業記念費用 …………………………………… 128

創業費 …………………………………………… 146

創業費に含まれる給与等 ……………………… 146

倉庫証券の譲渡 ………………………………… 44

贈答品費 ………………………………………… 128

租税公課（軽油引取税）……………………… 105

租税公課（不動産取得税等）………………… 106

租税公課（法人税等）………………………… 105

そろばん塾等が受け取る授業料等 …………… 57

損害賠償金 ……………………………………… 135

損害賠償金（賃借料相当分）………………… 103

損害賠償金（品質不良等によるもの）……… 136

【た】

大学等で行う社員研修の授業料等 …………… 111

対価補償金 ……………………………………… 69

退職給与引当金 ………………………………… 131

退職金 …………………………………………… 86

代物弁済 ………………………………………… 18

代理店手数料 …………………………………… 112

代理店手数料（保険代理店）………………… 112

立退料 ……………………………………… 132、135

立替金 …………………………………………… 142

194

建物（居住用賃貸建物）……………………… 142

建物（居住用賃貸建物を除く）、構築物、
　機械装置、車両運搬具等 ……………… 142

建物購入の際の借入金の利子 …………… 143

建物賃借のキャンセル料 …………………… 118

建物の無償貸付け …………………………… 61

棚卸減耗損等 ………………………………… 78

棚卸商品評価損 …………………………… 134

短期貸付金 ………………………………… 141

単身赴任者の帰宅費用 …………………… 99

団体保険等の集金事務手数料 …………… 24

担保権が実行された担保物件 …………… 19

【ち】

遅延損害金 …………………………………… 72

地代 ………………………………………… 102

地代（短期）………………………………… 102

地代（駐車場用地）………………………… 102

チップ ……………………………………… 129

地方債の利子 ………………………………… 46

茶菓子代等 ………………………………… 110

仲介手数料（土地付建物に係るもの）…… 113

仲介手数料（土地に係るもの）……… 42、113

駐車違反車両の移動、保管 ………………… 27

駐車場代 …………………………………… 102

駐車場の貸付け ……………………………… 43

中途解約手数料 …………………………… 110

中途解約手数料（指定金銭信託に係るもの）… 119

長期滞留債務（雑益計上）………………… 66

長期停滞料等 ………………………………… 67

直営食堂施設 ………………………………… 23

直営食堂の維持管理費用 …………………… 93

著作権等使用料 …………………………… 126

著作隣接権 ………………………………… 126

賃借料（事業用資産）……………………… 103

賃借料（役員等に支払うもの）…………… 104

【つ】

ツアーコンダクターの人材派遣料 …………… 82

通貨スワップ ………………………………… 63

通勤手当 …………………………………… 87

通勤手当（ガソリン代）…………………… 87

通勤手当（現物支給）……………………… 87

通勤手当（自転車通勤者）………………… 87

【て】

低額譲渡（法人の従業員に対するもの）……… 20

低額譲渡（法人の役員に対するもの）……… 19

手形の取立依頼に基づく手数料等 ………… 46

手形の割引料 ………………………………… 46

出来高検収書 ………………………………… 85

出来高払い …………………………………… 84

電気、水道、ガス代 ……………………… 101

電気、水道、ガス代（家事関連費部分）……… 101

転勤に伴う支度金 …………………………… 98

電子マネーの譲渡 …………………………… 46

電信・電話料等 …………………………… 100

電柱使用料 …………………………………… 43

店舗兼用住宅の貸付け ……………………… 59

店舗の賃借料 ……………………………… 103

【と】

同業者団体等の発行する会報等 …………… 24

消費税の課否判定 項目別索引

登録免許税等（国等に納付するもの）……… 89

特殊勤務手当 …………………………………… 87

特定金銭信託等の信託報酬 ………………… 110

特定損失負担金等 ……………………………… 95

特別分担金 …………………………………… 107

特別養護老人ホームの経営 ………………… 53

匿名組合からの利益配当金 ………………… 64

都市計画税の未経過分 ……………………… 22

図書費 ………………………………………… 130

土石採取権 ……………………………… 41、144

土地 …………………………………………… 142

土地建物等の一括譲渡 ……………………… 42

土地仲介手数料 ………………………… 42、113

土地付建物仲介手数料 ……………………… 113

土地付建物の貸付け ………………………… 43

土地付建物の賃借料 ………………………… 102

土地の上に存する権利 ……………………… 41

土地の造成費（貸ビル建設用の土地）……… 75

土地の造成費（住宅用賃貸マンション建設用の土
　地）…………………………………………… 76

土地の造成費（販売用の土地）……………… 76

土地の造成費（分譲マンション建設用の土地）… 75

土地の短期貸付け …………………………… 42

土地の短期貸付け（期間の変更）…………… 42

土地の短期貸付け（曜日限定の場合）……… 43

土地の賃借料 ………………………………… 102

土地の賃借料（土地付建物）………………… 102

土地の賃貸借の形態で行われる土石等の採取 … 42

土地の定着物 ………………………………… 41

特許権 …………………………………… 88、144

特許権等使用料 ……………………………… 125

特許権等のクロスライセンス ……………… 125

特許出願中の権利の使用料 ………………… 125

取消手数料 …………………………………… 118

【な・に】

日当 …………………………………………… 98

入園料等・保育料等
　（宗教法人が経営するもの）……………… 26

入会金等（ゴルフクラブ等）……………… 127

入会金等（情報センター等）……………… 108

入学寄附金 …………………………………… 57

入学金等 ……………………………………… 56

入場券の購入費用（催し物）………………… 93

妊娠から出産後の検査 ……………………… 54

【ぬ・ね】

年会費（レジャークラブ等）………………… 92

【の】

ノウハウの頭金 ……………………………… 147

ノウハウの譲渡 ……………………………… 40

ノウハウの使用料 …………………………… 126

ノウハウの提供 ……………………………… 36

延払金利（国外取引に係るもの）…………… 63

【は】

派遣医師に係る委託料 ……………………… 89

派遣社員の旅費等 …………………………… 100

派遣料 ………………………………………… 86

罰則金 ………………………………………… 132

払戻手数料 …………………………………… 118

販売委託手数料 ……………………………… 112

販売奨励金 ……………………………… 65、95

販売促進費 ……………………………… 96

【ひ】

ビール券の引換え ……………………… 51

非課税資産の譲渡等 …………………… 16

非課税資産の譲受け等 ………………… 73

非課税資産の輸入 ……………………… 137

非課税となる医療等 …………………… 51

非課税取引（非課税売上げ）に対応する仕入れ … 75

非居住者（国内に支店等を有するもの）
　に対する役務の提供 ………………… 37

非居住者円預金に係る手数料 ………… 116

非居住者が依頼する国内の市場調査 … 40

非居住者から収受する有価証券の保管料等 … 39

非居住者に対する医療 ………………… 52

非居住者に対する役務の提供 ………… 37

非居住者に対する課税資産の譲渡 …… 16

非居住者に対する無体財産権の譲渡等 ………… 35

引越費用（海外への） ………………… 125

費途不明交際費 ………………………… 129

備品等の購入 …………………………… 143

被服費 …………………………………… 130

表彰金 …………………………………… 87

【ふ】

ファイナンス・リース料 ……………… 104

ファクタリング取引の手数料等 ……… 45

福利厚生施設の維持管理費用 ………… 94

福利厚生施設の火災保険料 …………… 95

福利厚生施設の管理人給与 …………… 94

負担金 …………………………………… 134

負担金
　（同業者団体等の構成員が負担するもの）…… 107

負担金（百貨店の取引先が負担するもの）……… 108

負担付き贈与 …………………………… 19

物品切手等の受託販売代金 …………… 50

物品切手等の受託販売手数料 ………… 50

不動産取得税等 ………………………… 106

船荷証券の譲渡 ……………………… 28、44

赴任支度金（海外からの） …………… 99

扶養手当等 ……………………………… 87

フランチャイズ手数料 ………………… 115

プリペイドカード購入費用 …………… 97

プリペイドカード等 …………………… 130

プリペイドカード等の購入費等 ……… 123

プリペイドカードの印刷費 …………… 50

プリペイドカードの譲渡 ……………… 50

プレミア付きプリペイドカード ……… 50

分担金 …………………………………… 108

【へ】

弁護士等に支払う実費相当額 ………… 89

弁護士の非居住者に対する法律相談 … 40

弁護士費用 ……………………………… 137

弁護士報酬等 …………………………… 89

【ほ】

報償金、表彰金、賞金等 ……………… 87

法人の従業員に対する贈与 …………… 20

法人の従業員に対する低額譲渡 ……… 20

法人の役員に対する住宅の無償貸付け ………… 20

法人の役員に対する贈与 ……………… 20

法人の役員に対する低額譲渡 ………… 19

197

消費税の課否判定 項目別索引

法人の役員に対する低額な住宅の貸付け ········· 20

忘年会等の補助金 ·········· 91

ホームリーブ旅費等（国内・国内以外）·········· 99

保険医療の一環として行われる酸素の販売 ······· 53

保険料 ·········· 47

保険料（輸入貨物に係るもの）·········· 95

保険料の集金手数料 ·········· 65

保護預り手数料（株式の売買に係るもの）·········· 114

保護預り手数料（国内送金為替に係るもの）····· 115

保証債務 ·········· 22

補助金（慰安旅行に係るもの）·········· 91

補助金（忘年会等に係るもの）·········· 91

補助金等 ·········· 69

補助金等（社員共済会等に対するもの）·········· 93

保税工場で製造した製品の譲渡 ·········· 32

保税地域間の貨物輸送 ·········· 35

保税地域で加工した製品の輸出 ·········· 33

保税地域で購入した外国貨物の譲渡 ·········· 33

保税地域での外国貨物の消費 ·········· 139

保税地域での加工賃 ·········· 39

墓地永代使用料 ·········· 44

掘りこみガレージ ·········· 42

本支店間の利子 ·········· 63

【ま】

埋葬、火葬 ·········· 55

埋蔵料、収蔵料等 ·········· 55

前受金 ·········· 147

前払費用 ·········· 142

前渡金 ·········· 141

前渡金の利息 ·········· 62

まかない付居住用住宅の貸付け ·········· 60

マネキン紹介料 ·········· 122

マネキン報酬 ·········· 122

マンションの貸付け（事務所用）·········· 59

【み】

未経過固定資産税等 ·········· 22

未収金 ·········· 141

未成工事支出金 ·········· 84

見本等の購入費用 ·········· 97

見舞金（災害に係るもの）·········· 90

【む】

無事故達成奨励金 ·········· 68

無償譲渡 ·········· 18

無償での譲受け ·········· 76

無償での輸入 ·········· 138

無体財産権の貸付け ·········· 15

無体財産権の輸入 ·········· 137

【め】

名義書換え承諾料 ·········· 61

名義貸料 ·········· 65

名義料 ·········· 122

免税事業者からの仕入れ ·········· 74

【も】

モーゲージ証書に係る解約手数料 ·········· 120

モデル報酬 ·········· 121

催し物の入場券の購入費用 ·········· 93

【や】

野球場のシーズン予約席料 ……………… 129

役員賞与等 ………………………………… 85

役員退職金等 ……………………………… 85

役員に対する住宅の低額貸付け（法人）…… 20

役員に対する住宅の無償貸付け（法人）…… 20

役員に対する贈与（法人）……………… 20

役員に対する低額譲渡（法人）………… 19

役員報酬 …………………………………… 85

役職手当 …………………………………… 87

家賃の一部負担 …………………………… 90

薬局における医薬品の販売 ……………… 52

【ゆ】

有価証券 ………………………………… 141

有価証券等の譲渡 ………………………… 44

有価証券の譲渡（信用取引によるもの）…… 45

有価証券の保管料等
　（非居住者から収受するもの）………… 39

有価証券売却損 ………………………… 134

有価証券評価損 ………………………… 134

郵便切手類購入代金（チケットショップ等）…… 100

郵便切手類購入代金（日本郵便㈱等）…… 100

郵便切手類の販売 ………………………… 47

郵便切手を冊子に収めたもの等の販売 …… 48

輸出業者に対する資産の譲渡等 ………… 32

輸出として行われる資産の譲渡等 ……… 32

輸出取引（免税売上げ）に対応する仕入れ …… 75

輸出物品（展示用）の国内への引取り …… 139

輸出物品の返品 ………………………… 139

輸出用の商品の国内での販売 …………… 32

輸出用の商品を製造するための下請加工 …… 32

輸入貨物の保険料 ………………………… 95

輸入物品の割戻し ……………………… 139

【よ】

容器保証金 ………………………………… 67

預貯金 …………………………………… 140

預貯金の譲渡 ……………………………… 45

預貯金の利子 ……………………………… 61

予備校等が受け取る授業料等 …………… 57

予防接種又は新型インフルエンザ予防接種 …… 51

【ら・り】

リース取引の解約損害金 ……………… 119

リース用資産の取得 …………………… 144

リース料
　（所有権移転外ファイナンス・リース取引）… 104

利益準備金等 …………………………… 131

利益配当金（匿名組合からの）………… 64

利子（国債、地方債、預貯金等）……… 46

利子補給金 ………………………………… 90

療養費（交通事故の被害者に対するもの）…… 52

旅館業に係る施設の貸付け ……………… 60

旅行先の贈答品 …………………………… 41

旅行招待費 ……………………………… 129

旅費（外交員に支給するもの）………… 89

旅費等（採用予定者等に支給するもの）…… 100

旅費等（派遣社員に対するもの）……… 100

【る・れ】

レジャークラブ等の年会費 ……………… 92

【ろ】

ロイヤリティ …………………………… 115

消費税の軽減税率判定 項目別索引

【あ】

生きている家畜の販売 …………………… 169

いちご狩りやなし狩りなどの入園料 ………… 173

１週に２回以上発行する新聞 ……………… 182

飲食店以外で調理を行って飲食料品を提供する
　出張料理 ………………………………… 179

飲食店で食材を調理 ……………………… 175

飲食店で提供する缶飲料、
　ペットボトル飲料の販売 ………………… 177

飲食店で料理の残りを持ち帰った場合 ……… 176

飲食店のレジ前で菓子を販売 ……………… 177

飲食料品等の委託販売 …………………… 175

飲食料品等の委託販売手数料 ……………… 175

飲食料品に係る販売奨励金 ………………… 174

飲食料品のお土産付きのパック旅行 ………… 179

飲食料品の販売に係る送料 ………………… 174

飲食料品の輸入 …………………………… 175

飲食料品を販売する際に使用する容器の販売 … 172

インターネットを通じて配信する電子版の新聞 … 182

飲用後に回収される空びんのびん代 ………… 173

ウォーターサーバーのレンタル ……………… 170

映画館の売店での飲食料品の販売 ………… 178

栄養ドリンクの販売 ……………………… 172

【か】

学生食堂 ………………………………… 180

菓子と玩具が一緒になっている食玩の販売 …… 180

菓子の製造用に酒を販売 ………………… 171

家畜の飼料やペットフードの販売 …………… 169

家畜を加工して食用として販売 …………… 169

学校給食 ………………………………… 180

紙の新聞と電子版の新聞のセット販売 ……… 182

カラオケボックスでの飲食料品の提供 ……… 177

観賞用の魚の販売 ………………………… 169

キャラクターを印刷したお菓子の缶箱等 …… 173

金箔の販売 ……………………………… 172

果物の仕入れ …………………………… 169

果物の苗木及びその種子の販売 …………… 169

ケーキ等を容器に入れて販売 ……………… 180

コーヒーの生豆の販売 …………………… 169

氷の販売 ………………………………… 170

コンビニエンスストアで販売する新聞 ……… 181

コンビニエンスストアの
　イートインスペースでの飲食 ……………… 176

【さ】

サービスで保冷剤を付けてケーキやプリンを
　販売 …………………………………… 173

酒の販売 ………………………………… 170

酒類を原料とした菓子の販売 ……………… 171

自宅での料理代行サービス ………………… 179

自動販売機でジュースやパン、菓子等を販売 … 174

自動販売機の販売手数料 ………………… 174

社員食堂で飲食料品を提供 ………………… 175

社内会議室への飲食料品の配達 …………… 179

重曹の販売 ……………………………… 172

賞味期限切れの食品を廃棄するための譲渡 …… 170

食品の製造に使用する「添加物」の販売 ……… 171

食用の生きた魚を販売 …………………… 169

スーパーマーケットの従業員専用の
　バックヤードでの従業員の飲食 …………… 176

スポーツ新聞や業界紙の販売 …………… 181

セット商品のうち一部を店内飲食する場合 …… 177

贈答用の包装など、包装材料等につき、
　別途対価を定めて販売 …………………… 173

【た】

炭酸ガスの販売 …………………………… 172

通信販売などによる飲食料品の販売 ………… 174

特定保健用食品、栄養機能食品、健康食品、
　美容食品などの販売 ……………………… 172

【な】

日本酒を製造するための米の販売 …………… 171

ノンアルコールビールや甘酒 ………………… 171

【は】

配達先で「味噌汁付弁当」の味噌汁を
　取り分け用の器に注いで提供 ……………… 179

バーベキュー場の施設利用料と別途食材代を
　受け取っている場合 ……………………… 179

非売品の販促品付きペットボトル飲料 ………… 181

フードコートでの飲食料品の提供 …………… 176

福袋の販売 ………………………………… 181

物流センターの使用料（センターフィー）……… 174

ホテルに対して販売する新聞 ………………… 182

【ま】

水の販売 …………………………………… 170

みりん、料理酒等の販売 …………………… 171

【や】

屋台やフードイベント等での飲食料品の提供 … 175

輸入した飲食料品を飼料用として販売 ………… 175

【ら】

立食形式の飲食店の飲食料品の提供 ………… 176

料理用に酒を販売 ………………………… 171

旅館、ホテル等宿泊施設における
　飲食料品の提供 ………………………… 178

列車内の移動ワゴンによる弁当や飲料の販売 … 177

列車内食堂施設での飲食料品の提供 ………… 177

【わ】

割り箸を付帯した弁当・ストローを付帯した
　飲料等 …………………………………… 173

執 筆 者 等 一 覧

杉 浦 孝 幸

丸 根 　 剛

松 山 　 修

喜 多 千 容

後 藤 健 太

令和6年11月改訂 消費税課否判定・軽減税率判定ハンドブック

2024年12月20日　発行

編　者　　杉浦 孝幸

発行者　　新木 敏克

発行所　　公益財団法人 納税協会連合会
　　　　　〒540-0012 大阪市中央区谷町1−5−4　電話(編集部)06(6135)4062

発売所　　株式会社 清文社

大阪市北区天神橋2丁目北2−6(大和南森町ビル)
〒530-0041　電話 06(6135)4050　FAX 06(6135)4059
東京都文京区小石川1丁目3−25 (小石川大国ビル)
〒112-0002　電話 03(4332)1375　FAX 03(4332)1376
URL https://www.skattsei.co.jp/

印刷：㈱広済堂ネクスト

■著作権法により無断複写複製は禁止されています。落丁本・乱丁本はお取り替えします。
■本書の内容に関するお問い合わせは編集部までFAX(06-6135-4063)又はメール (edit-w@skattsei.co.jp)でお願いします。
＊本書の追録情報等は、発売所(清文社)のホームページ(https://www.skattsei.co.jp)をご覧ください。

ISBN978-4-433-70254-0